Walter Tafelmaier Pinselschrift

Eine Anleitung für Maler und Schriftenmaler

von
Walter Tafelmaier

Callwey Verlag, München

CIP-Kurztitelaufnahme der Deutschen Bibliothek
Tafelmaier, Walter:
Pinselschrift : e. Anleitung für Maler u.
Schriftenmaler / von Walter Tafelmaier. – 2.,
überarb. Aufl. – München : Callwey, 1986.
ISBN 3-7667-0807-4

2. überarbeitete Auflage 1986
© 1983 Verlag Georg D. W. Callwey, München
Alle Rechte vorbehalten, auch die des auszugs-
weisen Abdrucks, der fotomechanischen Wiedergabe
und der Übersetzung
Einbandgestaltung   Baur + Belli Design, München
Satz und Druck   Kastner & Callwey, München
Bindung   Buggermann-Wappes, München
Printed in Germany

Inhalt

Einführung   6

Das Werkzeug   9

Der Untergrund   10

Die Farbe   12

Anwendung   12

Skizzieren   17

Das Schreiben auf der Wand   17

Antiqua   29

Unziale   39

Unzialschrift   39

Gotik   45

Die richtige »s«-Schreibweise   55

Fraktur   58

Kursiv   69

Bewegte kursive Form   76

Schreibvariante   87

Ziffern   91

Gute Beispiele   95

Schlechte Beispiele   113

Einführung

Die von vielen »Schriftexperten« herausgegebenen Anleitungen im Bereich der Federschrift sind unüberschaubar geworden.

Ein großer Teil der in Bild und Text verbreiteten Schreibhilfen könnte unterbleiben.

Sinnvoller sind dagegen fundierte Standardwerke, wie z. B. Schreibschrift-Zierschrift + angewandte Schrift von Edward Johnston – oder vor allem auch »Die Schriftentwicklung« von Eduard Meyer im Graphis Press Verlag.

Der Leser dieser Zeilen könnte nach dieser Bemerkung zu dem Schluß kommen, daß auch dieses Buch überflüssig ist, und ich muß gestehen, daß ich ein Gegner von vielfältigen, einfältigen und teilrichtigen Schriftanweisungen bin, die den Lernwilligen nur verwirren.

Die Tatsache, daß ich dennoch eine Veröffentlichung zu dem ganz speziellen Thema »Schriftschreiben mit dem Pinsel« herausbringe, hat folgende Gründe:

1. Das Schriftschreiben mit dem Pinsel wird in der bisherigen Fachliteratur nicht berücksichtigt.
2. Die Technik des freien Schreibens mit dem Pinsel ist es wert, daß sie von Interessierten nicht nur erlernt, sondern auch richtig eingesetzt wird.
3. Offensichtlich ist ein starkes Bedürfnis für freie Schriften vorhanden.

Das positiv zu wertende Bedürfnis, der Spaß am Schreiben, darf jedoch nicht dazu führen, daß die Unkenntnis der Technik, die falsche Interpretation typischer Kennzeichen, die Nichtbeachtung stilistischer Einordnung und eine ungeübte Hand zu nicht akzeptablen Ergebnissen führt, wie dies in der Vergangenheit leider immer wieder festzustellen war.

Die billige Argumentation »Das merkt doch niemand, höchstens ein Fachmann« ist nichts weiter als eine hilflose Ausrede. Aber selbst beim Fachmann schleichen sich viele Fehler ein, weil auch er bestimmte Dinge nicht mehr lernt bzw. nicht mehr lernen kann.

In Anbetracht der Schwierigkeiten beim freien Schriftschreiben sind somit Fehlerquellen nahezu zwangsläufig.

Die Unfähigkeit aber, Qualität zu erkennen und auch benennen zu können, wirkt sich in der praktischen Anwendung entsprechend aus.

Ein nach außen hin oberflächlich gestaltetes Ergebnis genügt nicht, ein wirklich fundiertes und durch Studien vieler Quellen langsam gewachsenes Gefühl für Form, Proportion und Raumaufteilung muß erworben werden.

Dieses Büchlein kann dazu ein Anfang sein. Es kann Ihnen aber nicht das Studium guter alter Vorlagen ersetzen und die Mühe des ständigen Übens abnehmen.

An dieser Stelle gedenke ich gerne eines meiner ehemaligen Lehrer, Herrn Fritz Wittlinger, der als aus der Ehmke-Schule kommend die Neu-Interpretation von historischen Schriften als eine wichtige Gestaltungsaufgabe verstand.

»Mit der Schrift hat der Mensch sein Gedächtnis erhalten.« Eine Aussage von weittragender Bedeutung, wenn man die Entwicklung der Geschichte des Menschen an sich vorüberziehen läßt.

Dieses Buch soll dem interessierten Maler und Schriftenmaler die Möglichkeit geben, in dieser Spezialdisziplin selbst zu üben, wobei die Anleitung kein Ersatz für eine Ausbildung an einer guten Fachschule sein will und kann. Es soll viermehr eine Spezialdisziplin, die heute weitgehend in Vergessenheit geraten ist, in Erinnerung gebracht werden. Sie kann demjenigen, der bereit ist, durch ständiges Überprüfen und Korrigieren eine Hilfe sein, sein Formgefühl für Schrift zu verbessern.

Durch die Vielfalt der Vereinfachungshilfen, die den Schriftmarkt in den letzten 15 Jahren überschwemmt haben, ist das freie Schreiben von Schriften immer mehr vernachlässigt worden. Hektik und alles, was unsere Gesellschaft heute kennzeichnet, ist einer Tätigkeit, wie sie das Schreiben darstellt, aus den oben erwähnten Gründen abträglich. Das Gefühl für die reine Form und Proportion, wie die Schriftform es verlangt, ist abhanden gekommen und nicht so schnell wieder aufzubauen. In den meisten Fällen muß man sich heute bei frei geschriebener Schrift mit Halbheiten begnügen, weil die äußeren Umstände, deren es viele aufzuzählen gäbe, eine intensive Auseinandersetzung nicht zulassen. Freies Schriftschreiben, ob mit Feder oder Pinsel, stellt mit die beste Möglichkeit dar, das Formgefühl zu bilden. Es liegt auf der Hand, daß es einen entscheidenden Unterschied darstellt, ob mit Feder oder mit Pinsel geschrieben wird. Die Buchstaben, die der Maler oder Schriftenmaler braucht, sind viel größer gehalten als die, die mit der Feder geschrieben werden. Durch die Buchstabenvergrößerung muß vor allem großer Wert auf die verschiedenen Pinselansätze gelegt werden.

Freies Schreiben erfordert viel Mühe, Hingabe und ein hohes Maß an Konzentration. Durch ständiges Wiederholen der einzelnen Formcharaktere wird das Gefühl für die Form der Schrift erzogen. Dies geht auch aus dem Ausspruch eines schreibenden Mönchs aus dem frühen 9. Jahrhundert hervor: »Zwar schreiben nur drei Finger, doch der ganze Körper ist mitangestrengt.«

Aus diesem Grund sollte man beim Schriftschreiben, sofern dies im Sitzen geschieht, eine bequeme Haltung einnehmen, die ein Schreiben ohne Verkrampfen ermöglicht. Die richtige Schreibhöhe und der richtige Winkel der Schreibunterlage sind sehr wichtig. In den meisten Fällen ist bei den Buchstabengrößen, die mit dem Pinsel geschrieben werden, ein Schreiben aus dem Handgelenk nicht möglich; es wird deshalb der ganze Arm bewegt.

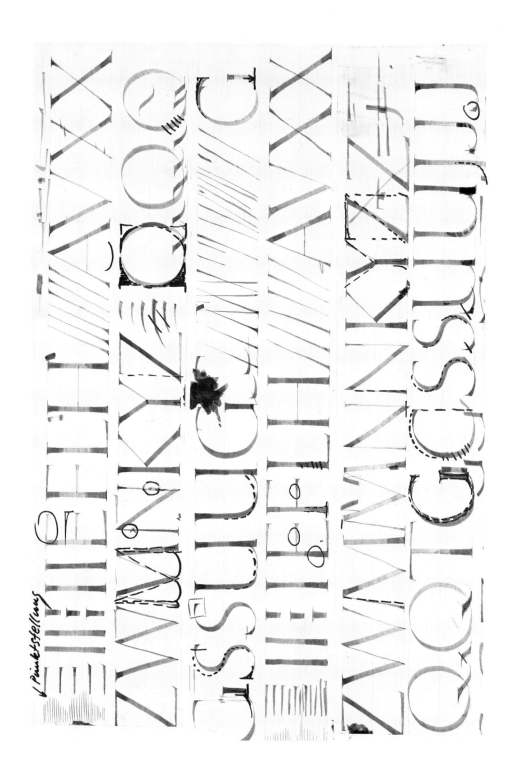

8

Das Werkzeug

In der Kette von Einzelgliedern ist beim freien Schriftschreiben mit dem Pinsel jedes Glied für das gute Schriftergebnis gleich wichtig. Es nützt nichts, wenn der gute Schreiber einen schlecht vorbereiteten Untergrund vorfindet; das Ergebnis wird unbefriedigend bleiben. Genausowenig nützt ein guter Untergrund, wenn der Schreibpinsel schlecht behandelt wurde. Alle Faktoren müssen gleichermaßen berücksichtigt und aufeinander abgestimmt werden.

Das verwendete Werkzeug spielt eine entscheidende Rolle für den beabsichtigten Ausdruck. So wirkt eine Stahlfederschrift anders als eine Schrift, die mit einem Füllfederhalter geschrieben wird.

Beim freien Pinselschreiben ist großer Wert auf die Borstenqualität der Pinsel zu legen.

Geschrieben wird mit einem Rotmarder-Plattpinsel, wie dies Bild 3 zeigt. Für die meisten der in diesem Buch abgebildeten Beispiele wurde der auf der Abbildung mit Pfeil versehene Pinsel, ¼ Zoll, verwendet.

Der Pinsel wird vorne, an der Metallfassung, mit einem Klebeband umwickelt (bandagiert); dadurch ist eine bessere Pinselführung möglich. Vor allem ist dies bei den Buchstabenteilen wichtig, bei denen der Pinsel gedreht werden muß. Der Pinsel soll einen guten Schluß aufweisen, also keinen »Sägezahn« haben.

Zum Schreiben von gotischen Schriften, zum Beispiel der Textur, kann auch ein kürzerer Plattpinsel verwendet werden (auch ein Kunststoffpinsel ist hier möglich). Beim Schreiben an der Mauer wird man bei großen Buchstaben ebenfalls kürzere Plattpinsel verwenden (z. B. Schreibmodler).

Nach dem Schreiben ist es wichtig, den Pinsel sehr gut auszuwaschen und die angesammelte Farbe im Schaft herauszuquetschen. Wenn dies nicht geschieht, wird die Farbe, die sich im Schaft festsetzt, den Pinsel vorne spalten.

Der Pinsel ist nach dem Auswaschen in nassem Zustand in seine Form zu bringen. Nach dem Trocknen muß der Pinsel so aufbewahrt werden, daß sich die Spitze nicht verbiegen kann.

Bild Seite 8

Übungsblatt eines Schülers mit eingezeichneten Korrekturen.

Verschieden breite Schriftpinsel, die vorne mit Tesaband bandagiert sind.

 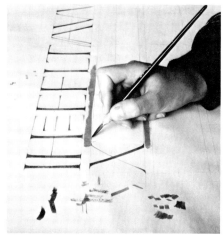

Der Untergrund

Der Schreibuntergrund nimmt den gleichen Rang ein wie das Werkzeug. Wenn der Untergrund – gleich ob Papier oder Putz – zu glatt und abgedichtet ist, läßt sich kein guter Schreibcharakter erzielen. Es ist also sehr darauf zu achten, daß der jeweilige Untergrund nicht zu glatt, nicht zu rauh, nicht zu stark saugend und nicht zu stark abweisend ist.

Zum Schreiben auf Papier empfiehlt sich für das Üben am besten die stark holzhaltige, schwach geleimte Tapeten-Makulatur. Sie ist genügend griffig und gibt durch den leichten Chamoiston eine schöne Gesamtwirkung.

Um fertige Blätter zu schreiben, kommen vergleichbare Papiere oder dünne Kartonarten, die schwach geleimt sind, in Betracht. Auch Büttenpapiere können natürlich für besondere Arbeiten verwendet werden. Sehr gut schreiben läßt sich auch auf stark saugendem Packpapier (von der Rolle mit der rauhen Seite nach oben). Naß aufgespannt und mit dünnen Lasuren behandelt, gibt es einen lebendigen Schreibuntergrund (Trockenfarbe oder Steinkreide mit Leim, Emulsion oder Kasein abgebunden). Auf Holzuntergründen kann in gleicher Weise verfahren werden.

Auf Putzuntergründen frei geschriebene Schriften haben – richtig eingesetzt – gegenüber gepausten und mit deckender Farbe ausgemalten Schriften wesentlich mehr Ausdruck, Charakter und Lebendigkeit. Zum Schreiben können glatte und rauhe, ungestrichene Putze genauso als Schreibuntergrund dienen wie mit den verschiedensten Anstrichtechniken behandelte Putzuntergründe. Wichtig ist auch hier wieder die Saugfähigkeit des Untergrundes.

Nicht gut zu beschreiben sind reine Dispersionsuntergründe, da hier die Schreibfarbe zu sehr abrutscht. Dieser Umstand erschwert eine schöne, poröse Schreibweise.

Gut präparierte Untergründe lassen mühelos die verschiedenen Schreibtechniken, wie lasierendes, granierendes und deckendes Schreiben, zu.

Schreiben an einer Gedenktafel.

Pinselhaltung beim Schreiben einer Antiqua.

Verschiedene Untergründe, die die unterschiedlichen schreibtechnischen Möglichkeiten zeigen; z. B. lasierend schreiben, granierend schreiben, deckend schreiben usw.

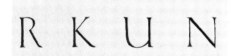

Die Farbe

Es muß zwischen Untergrundfarbe und Schreibfarbe unterschieden werden. Die Untergrundfarbe ist im Zusammenhang mit dem geeigneten Schreibuntergrund zu sehen und ist genauso wichtig wie die schon erwähnten Faktoren.

Als Schreibfarbe kann auf Papier und Putz sehr gut Plakafarbe verwendet werden. Mit Temperafarben läßt sich nicht so gut schreiben, da diese auslasieren, also die Kontur nicht gleichmäßig halten. Selbstverständlich können auch Tuschen zum Pinselschreiben auf Papier verwendet werden, je nachdem, welche Wirkung man beabsichtigt (lasierend, granierend usw.).

Anwendung

Daß heute das freie Schriftschreiben an der Wand als Ausdrucks- und Gestaltungsmittel fast nicht mehr praktiziert wird, ist eine Folge der uns nur zu gut bekannten Technisierung.

Nicht alles war in der Zeit, in der Schreiben an der Wand noch praktiziert wurde, auch gut und richtig plaziert. Dies läßt sich unschwer nachweisen, wenn man ältere Abbildungen von derartigen Baubeschriftungen ansieht. Die frei an die Wand geschriebene Schrift muß logisch in die Architektur eingebunden sein. Nur in wenigen Fällen sind Schriftblöcke, lose in die Wand gestellt, günstig. Sehr gute Beispiele dazu können wir im Unter- und Oberengadin an den alten Sgraffitohäusern finden.

Freie Pinselschriften werden heute u. a. für folgende Aufgaben eingesetzt:
1. Beschriftungen von Fassaden im ländlichen Raum (frei auf die Fassade gesetzt oder in dafür vorgesehene Flächenfelder, Schilder usw.).
2. Sprüche und schmückende Texte an Wänden, auf Tafeln oder auf Papier.
3. Schaufensterbeschriftungen.
4. Allgemeine Hinweise als kurzlebige Beschriftungen.
5. Als Grundlage für Schriften, die auf Pauspapier übertragen werden.
6. Urkunden.

Bei einem einfühlsamen Vorgehen lassen sich auch heute noch eine Reihe von Anwendungsbereichen finden. Die Frage, die jedoch gestellt werden muß, ist die: Haben die wenigen Fachkräfte, die noch frei schreiben können, die Ruhe und Hingabe, um sich dieser Tätigkeit wirklich verantwortungsvoll zu widmen? Ergebnisse, die mühsam und gequält geschrieben sind, wirken eher peinlich und werden besser nicht geschrieben.

SKIZZIEREN *grobeinteilung*

Beispiele für die Möglichkeit, über das freie Schreiben und Skizzieren durch **Pause eine Schrift auf die Wand zu schreiben.**

1

2

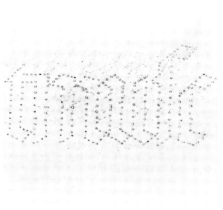

3

4

1 Schreiben mit dem Pinsel.
2 Skizzieren auf der Grundlage der geschriebenen Schrift.
3 Pause für die auf die Wand zu schreibende Schrift.
4 Aufgepauste Schrift und nach Pause frei nachgeschriebene Schrift. Die Paus-Punkte werden abschließend entfernt.
5 Skizzierte Antiqua für eine Spruchtafel.
6 Fertige Tafel mit dem Pinsel frei geschrieben.
7 Typographische Skizze für ein ovales Schild.

5

6

4 1. Arbeitsgang:
Maßstabsskizze mit weichem Bleistift anfertigen.
1 2. Arbeitsgang:
Der gesamte Text wird 1:1 probeweise in der in einer Skizze festgelegten Form und Größe geschrieben.
2 + 3 3. Arbeitsgang:
Festlegen der endgültigen Stand-position des Schriftblockes innerhalb des gegebenen Formats.

7

1

4

2

3

5

In diesem Fall wurde gegenüber
der Skizze = senkrechtes Format
eine Veränderung vorgenommen
(zu einem waagrechten Format),
da dieses Format für besser
befunden wurde.
8 4. Arbeitsgang:
Zerschneiden des gesamten
Schriftblocks in einzelne Zeilen.
5 + 6 5. Arbeitsgang:
Diese Einzelzeilen werden nach
genauer Einteilung der zu
beschriftenden Fläche über die
zu schreibende Zeile gehängt.

15

6

8

7

9

9 6. Arbeitsgang:
Beim Schreiben auf der
Originaltafel.
10 Fertig beschriftete Tafel.
7 Letzter Arbeitsgang:
Der Anfangsbuchstabe
»Initialbuchstabe« wird
vergoldet; erst mit Plakafarbe
vorgeschrieben, dann mit
Mixtion angelegt und mit
Blattgold vergoldet.

DEM DER HIRTEN   MIT MARIEN
LIEDER KLANGEN   IHN ZU LOBEN
DIE VON ENGELN   UND DEN HIMMELS
TROST EMPFANGEN   FUERSTEN DROBEN
ALS SIE SPRACHEN   WERDE JUBEL
LASST DAS BANGEN   FROMM ERHOBEN
KAM ZUR WELT   STIMMET ALLE
DER GLORIE FUERST   LIEBLICH EIN
ER ZU DEM   CHRISTUS GEIST
DIE KOENIGE GINGEN   ZU FLEISCH GEDIEHEN
WEIHRAUCH MYRRHEN   VON MARIEN
GOLD ZU BRINGEN   UNS VERLIEHEN
REINES OPFER   DIR ERSCHALLS
IHM BEGINGEN   IN MELODIEN
WELCHER ALLER   EHRE PREIS
SIEGE FUERST   UND RUHM SEI DEIN.

weihnachtslied

10

Skizzieren

Das Skizzieren von Schrift ist ein wichtiges Glied in der Kette von Arbeitsabläufen in der Schriftanwendung.

Nicht nur derjenige, der Schrift paust, schneidet oder plastisch formt, muß Schrift in der richtigen Form skizzieren können; auch derjenige, der mit dem Pinsel Schrift ohne Vorpausen schreibt, muß seine Vorstellungen skizzierend zu Papier bringen können.

Am besten wird mit weichem Bleistift auf Papier (oder Transparentpapier) skizziert. Wichtig ist dabei, daß so skizziert wird, daß die wesentlichen charakteristischen Merkmale einer Schrifttype und die richtigen Breiten der Buchstaben und die Abstände erfaßt werden. Sehr gut ist es, auf dünnem Transparentpapier zu skizzieren und durch ständiges Übereinanderlegen von Transparentpapier die skizzierte Schriftform zu verbessern.

Beim freien Schreiben kann in den Fällen, wo aus unterschiedlichen Gründen ein freies Schreiben zu schwierig ist, eventuell eine Pause benützt werden.

Auf der Grundlage des freien Schreibens wird eine Pause gezeichnet und gestochen, die auf den Schreibuntergrund aufgepaust wird. Das Schreiben erfolgt, als ob ohne Pause geschrieben würde (s. Bildbeispiele auf Seite 13). Damit ist ein sicheres Schreiben der richtigen Proportionen und Formen gewährleistet.

Der richtige Schreibduktus muß aber auch hier beim Schreiben geschaffen werden. Nach Beendigung der Arbeit sollte man die Paus-Punkte entfernen.

Das Schreiben auf der Wand

Das Schreiben auf der Wand erfolgt ohne Vorzeichnung. Wie auch auf Papieruntergründen wird vor der sogenannten Werkausführung ein Papierstreifen beschrieben. Dieser trägt den gesamten zu schreibenden Text in der Originalgröße der gewählten Schrifttype und den richtigen Buchstabenabständen.

Diese Papierfahne wird zur Ausführung der Schrift an der Wand genau über die zu schreibende Zeile gehängt und dann frei nachgeschrieben (siehe Bilder). Somit ist ein Vorzeichnen an der Wand nicht notwendig, da Umfang und genauer Ablauf auf dem Papier schon festgelegt sind.

Das Schreiben des Papierstreifens ist vor allem auch für die Gesamteinteilung des Textes wichtig. Bei großen Schriften empfiehlt es sich jedoch, schwer zu schreibende Einzelfiguren mit Kohle ganz leicht vorzuskizzieren. Zeileneinteilungen sollen dabei so fein wie möglich vorgezeichnet werden.

Die Bilder 1–6 zeigen die Arbeitsfolge beim Schreiben auf der Wand:

1 Wand mit Zeileneinteilung und dem darüberhängenden Papierstreifen, der direkt als Schreibvorlage dient.

2 Schreiben nach der Vorlage.

3 Schreiben an der Wand.
4 Das geschriebene Wort ist mit
der Schreibvorlage identisch.

5 Das fertige Ergebnis.
6 Ein Vorzeichnen der Schrift
mit Kohle ist dann vor allem
erforderlich, wenn die frei
schreibbare Schrifthöhe über-
schritten wird.

Die Grundlage für diese frei geschriebene Skelettschrift-Form stellt die römische Kapitalschrift dar.

Sie basiert auf den geometrischen Grundformen Quadrat, Kreis und Dreieck (auch der Name Kapitalis quadrata für eine Form römischer Schriften besagt dies).

Alle Buchstabenbreiten lassen sich in eine Beziehung zu den genannten Formen bringen.

Sie zeigt die wesentlichen Merkmale aller Antiquaschriften: wechselnde Balkenstärke und Endstriche (sog.

Schnitte) an den Enden der Buchstaben. Diese Schrift weist zusätzlich an den Endstellen der Buchstaben eine Verstärkung auf.

Charakteristisch für diese Skelettschrift-Form ist, daß die Aufstriche (bei Antiquaschriften immer dünn) ziemlich dick gehalten sind; Endstriche sind dagegen relativ schwach oder überhaupt nicht anzubringen. Typisch jedenfalls sind die Verstärkungen an den Endstellen der geraden und schrägen Balken.

Die Vorübung dient der
Erfassung von Buchstaben-
breiten und -abständen sowie
der Rhythmusbildung.
Nach diesen Übungen wird mit
dem Schreiben der Antiqua-
formen begonnen.

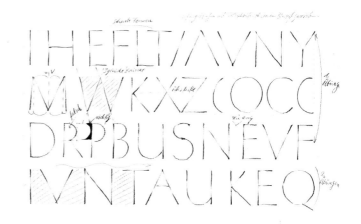

Zusammenfassung der Formen
für die drei Hauptbewegungsgruppen innerhalb des
Alphabets: gerade, winkelige
und runde Formen.

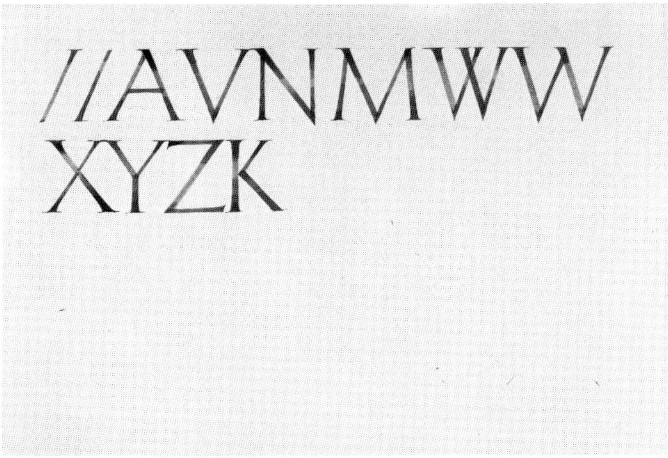

//AVNMWW
XYZK

BPRDUQCGS
JJR

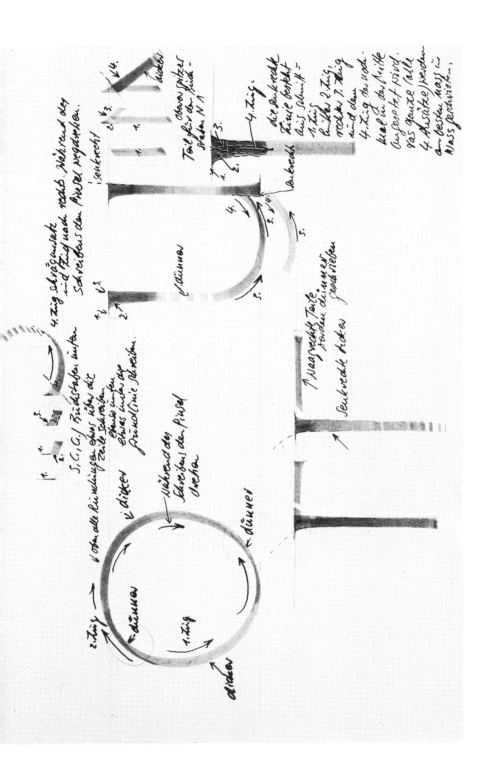

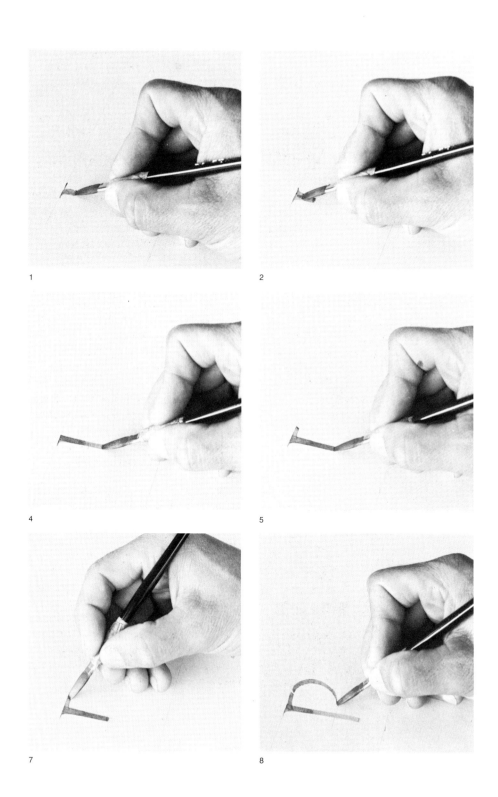

3

6

9

Die Bilder dieser Seiten zeigen Pinselansätze und Pinselhaltung für verschiedene Buchstaben.

1–3

Ansatz für den oberen Teil des Buchstabens (z. B. bei I L H Verstärkung nach beiden Seiten).

Mit dem 4. Ansatz wird der Pinsel nach unten geführt.

In der Mitte des Buchstabens wird die Kontur unwesentlich dünner; dies geschieht durch Nachlassen des Drucks auf den Pinsel. Nach unten wird der Druck wieder verstärkt.

4–6

Senkrechte Kontur für die Buchstaben, die nach rechts eine Fortführung erfahren, wie F E L B R P D.

Die senkrechte Kontur wird auf der rechten Seite nicht verstärkt.

Nach der geschriebenen senkrechten Kontur wird die waagrechte Linie für die oben genannten Buchstaben F E L so geschrieben, daß diese waagrechte schwächer ist als die senkrechte Kontur. Zum Ende hin wird die Waagrechte durch Druck etwas verstärkt.

7 Waagrechter Ansatz für die Buchstaben B R P D, von der Senkrechten weg zweimaliger kurzer Ansatz.

8 Fertigschreiben der Rundung. Der Pinsel wird, wie gezeigt, aus der Waagrechten nach rechts oben geführt und ergänzt die Rundung. An der Ergänzungsstelle ist die Kontur dünner. Diese auf den letzten beiden Bildern wiedergegebenen Ansätze für die Rundung gelten auch für andere runde Formen, wie B R P D O C G.

DIE MEISTERSCHULE FÜR DAS DEUTSCHE MALERHANDWERK MUENCHEN

Antiqua

Die Antiquaschriften, wie sie erst seit der Zeit des Humanismus genannt werden, basieren auf der Grundlage der Römischen Kapitalschrift. Wir nennen diese hier behandelte Type deshalb absichtlich »Antiqua – römische Form«, weil sie sich in den Proportionen, Maßverhältnissen, Bewegung und Schriftstruktur sehr an die Kapital-Form anlehnt. Sie hat die gleiche, feierliche, straffe Gesamtwirkung. Der Unterschied zu der schon behandelten Form sind die sehr dünnen Teile in Verbindung mit einem ausgeprägten Endstrich an den Anfangs- und Endstellen.

In diesem Zusammenhang muß hier auf die Wichtigkeit bei der Beachtung des zu umschreibenden Raumes hingewiesen werden. Sowohl der Innenraum als auch der Außenraum, der den Buchstaben umgibt, ist gleichermaßen wichtig. Die zu ziehende Kontur ist nur der Teil beim Schreiben, der den Buchstaben letztlich sichtbar macht. Die Qualität und die Schönheit des gerade in diesem Fall monumentalen Buchstabens hängt von der Form des Raumes ab, der umschrieben wird. Bei den Antiqua-Schriften (auch denen von S. 21) können alle winkeligen Buchstaben (A N M W) oben spitz enden; sie werden dabei über die Kopfzeile geschrieben.

Die genannten Buchstaben können oben aber auch stumpf enden. Wenn der Buchstabe A spitz geschrieben wird, werden alle genannten Buchstaben oben spitz; wenn der Buchstabe A stumpf geschrieben wird, werden alle genannten Buchstaben oben stumpf geschrieben. Unten müssen aber alle winkeligen Buchstaben spitz enden. Die Spitzen werden oben etwas über die Kopfzeile und unten etwas unter die Grundlinie geschrieben. Alle runden Buchstaben (O Q C G S) werden ebenfalls oben über die Kopfzeile und unten etwas unter die Grundlinie geschrieben. Dies ist notwendig, um einen optischen Ausgleich gegenüber waagrecht endenden Buchstaben zu bekommen (z. B. E F usw.).

Zusammenfassung der Formen für die drei Hauptbewegungsgruppen innerhalb des Alphabets: gerade, winkelige und runde Formen.

BPRUDJQCS
G

Das Alphabetblatt mit einer
Buchstabenhöhe von 6 cm wurde
mit dem ¹/₄-Zoll-Pinsel
geschrieben.

Verschiedene Pinselansätze,
die für die Antiqua-Versalien notwendig sind.

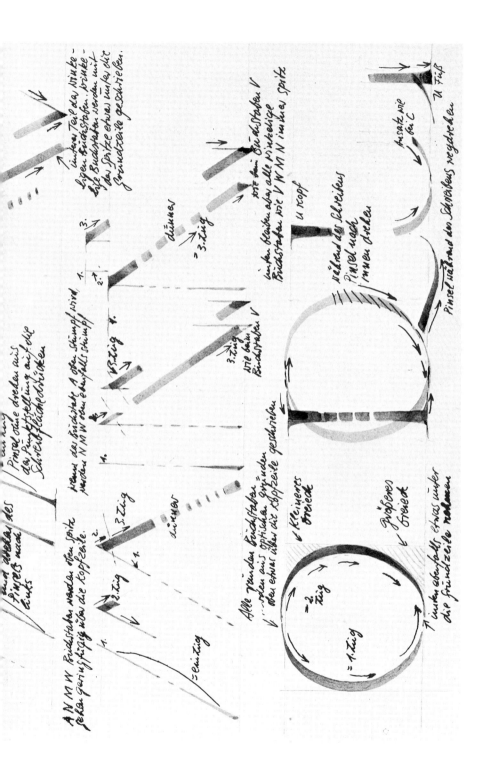

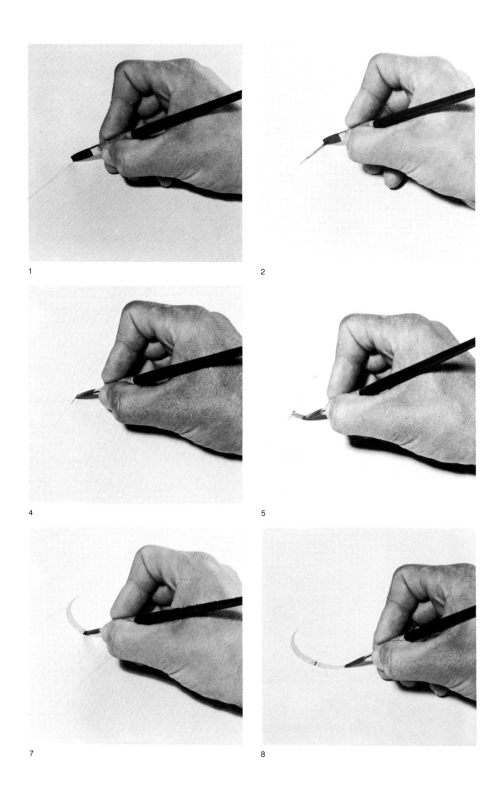

1

2

4

5

7

8

34

3

6

Pinselansätze und Pinselhaltung für die verschiedenen Buchstaben:

1–3 Punktstellung des Pinsels. Er wird während des Schreibens langsam auf das Papier gedrückt.
4 Erste Bewegung, geschrieben mit der Schmalseite des Pinsels.
5 Die dritte Bewegung.
6 Dritte Bewegung mit dem Fertigschreiben der senkrechten Kontur durch Druckwegnahme in der Mitte. Nach unten, zur Grundzeile hin, wird der Druck wieder verstärkt, so daß eine gleiche Endstelle entsteht wie oben.
7–9 Erste Bewegung für die Rundbuchstaben O C G. Abdrehen des Pinsels nach unten während des Schreibens.

9

Frei geschriebener Spruch auf einer fein gestupften Holzplatte mit nachgebesserten Endstellen.

Mit dem Pinsel auf Büttenpapier geschriebene Eintragung in ein Gästebuch.

ij lft kvwxyz

Antiqua Renaissance-Form
Kleinbuchstaben

Zusammenfassung der Formen
für die 3 Hauptbewegungs-
gruppen innerhalb des
Alphabets:
Gerade mit winkeligen und
runden Formen.

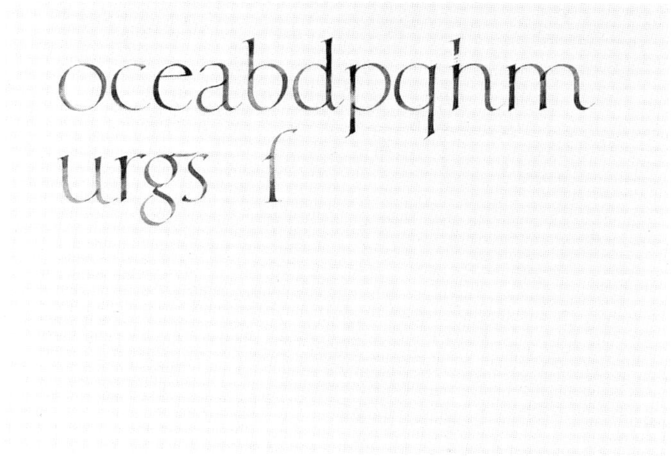

oceabdpqhm
urgs ſ

IHEFLTAVMJ
WNKXYZBRP
UDQCGS

Zu diesen gemeinen Buchstaben
passende Versalformen
mit schrägem Pinselansatz.

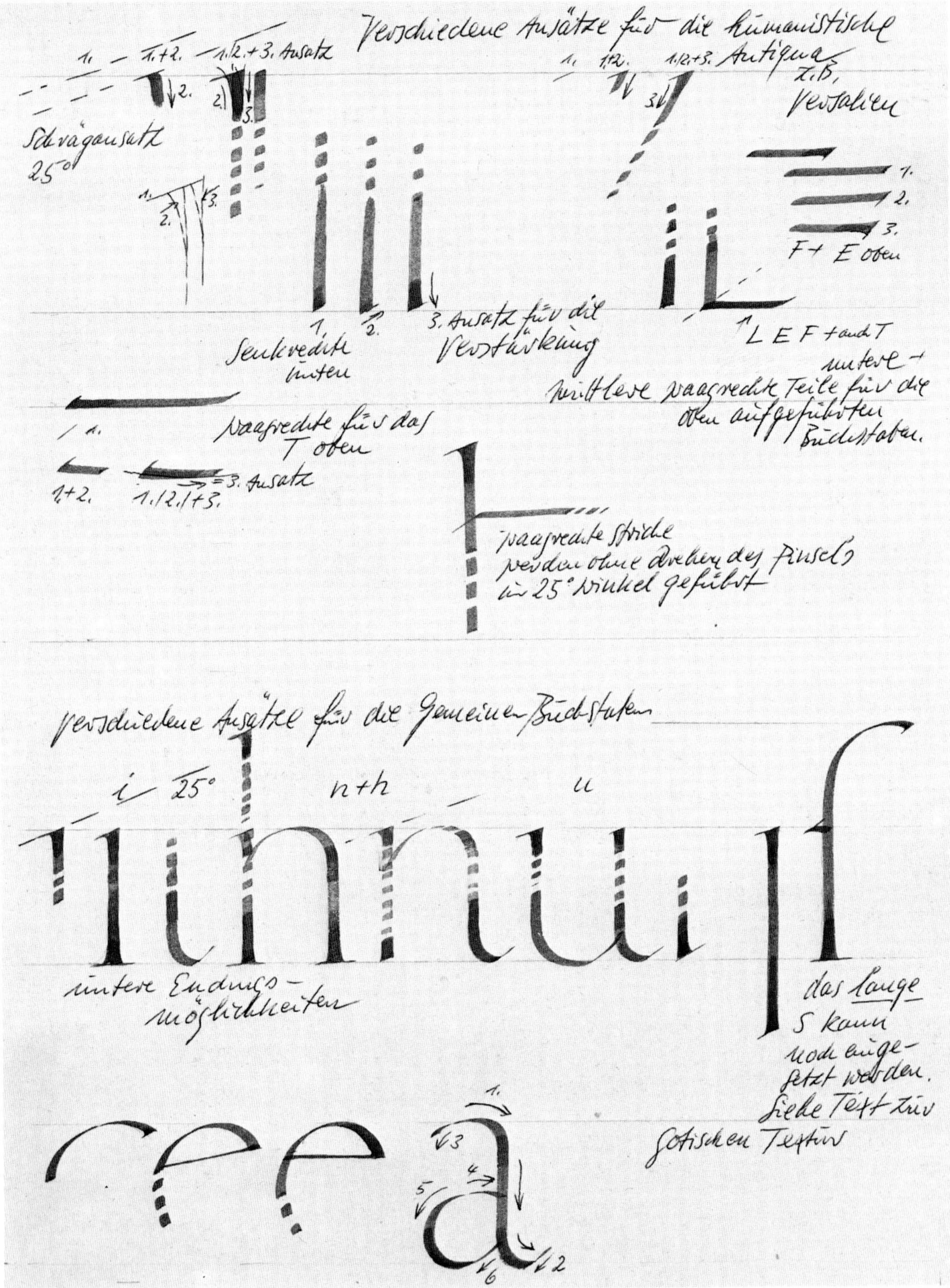

Verschiedene Ansätze für die humanistische Antiqua z.B. Versalien

1. — 1.+2. — 1.+2.+3. Ansatz

Schrägansatz 25°

Senkrechte unten

3. Ansatz für die Verstärkung

F + E oben

L E F + und T untere +

mittlere waagrechte Teile für die oben aufgeführten Buchstaben.

waagrechte für das T oben

1+2. — 1.1.2.1+3. — 3. Ansatz

waagrechte Striche werden ohne drehen des Pinsels im 25° Winkel geführt

verschiedene Ansätze für die Gemeinen Buchstaben

i 25° n+h u

untere Endungs- möglichkeiten

das lange s kann noch einge- setzt werden. Siehe Text zur Gotischen Textur

Ich wurde auf das Buch aufmerksam durch:

- ☐ Empfehlung meines Buchhändlers
- ☐ die Schaufensterauslage einer Buchhandlung
- ☐ eine Besprechung in Presse – Funk – Fernsehen
- ☐ Hinweis eines Bekannten
- ☐ einen Prospekt
- ☐ eine Anzeige in _____
- ☐ Ich bekam das Buch als Geschenk

Mein Urteil über das Buch: _____

KULTURGESCHICHTE
ARCHITEKTUR
GARTENARCHITEKTUR
STEINMETZ + BILDHAUER
MALERHANDWERK

Antwort

VERLAG
GEORG D. W. CALLWEY
Postfach 800409

D-8000 München 80

Kunst- und Kultur- geschichte	Geschichte	Volkskunst	Architektur	Garten- architektur und Land- schafts- planung	Steinmetz- handwerk	Do-it- yourself	Antiqui- täten Uhren	Maler- handwerk	Restau- rierung	Grafik/ Design

Über die neuen Bücher unseres Verlages unterrichten wir Sie gern laufend – kostenlos und unverbindlich – mit ausführlichen Prospekten und Informationen. Bitte kreuzen Sie die Verlagsgebiete an, die Sie besonders interessieren, und schicken Sie uns diese Karte in Druckbuchstaben ausgefüllt zurück. Bestellungen übergeben Sie bitte Ihrer Buchhandlung.   Ihr VERLAG GEORG D.W. CALLWEY

Von den angekreuzten Zeitschriften erbitte ich ein kostenloses Probeheft:

Allg. Hinweis	
KD-Klass.- Ziffer	

☐ Baumeister. Zeitschrift für Architektur, Planung, Umwelt

☐ Die Mappe. Deutsche Maler- und Lackiererzeitschrift

☐ Garten und Landschaft. Zeitschrift der Deutschen Gesellschaft für Gartenkunst und Landschaftspflege mit den Informationen des Bundes Deutscher Landschaftsarchitekten e.V.

☐ Steinmetz und Bildhauer Handwerk · Technik · Industrie

☐ Maltechnik Restauro. Internationale Zeitschrift für Farb- und Maltechniken, Restaurierung und Museums- fragen. Mitteilungen der IADA.

☐ Alte Uhren. Zeitmeßgeräte, wissenschaftliche Instrumente und Automaten

Vorname

Name

Beruf

Straße

PLZ   Ort

Diese Karte entnahm ich dem Buch:

Unzialschrift

Die Unzialschrift ist eine frühchrist-
liche Versalbuchstabenschrift mit fei-
erlichem und schmückendem Charakter. Die Gesamterscheinung der Schrift
ist rund. Sie wirkt breit und dekorativ
im Vergleich zu den aufrechten, straf-
fen Antiquaschriften. Sie weist in einzelnen frühen Figuren schon deutliche
Über- und Unterlängen auf.
In der Gesamtschriftentwicklung
schafft die Unziale einen logischen
Übergang von der römischen Versal-
schrift zur karolingischen Minuskel des
8. Jahrhunderts.
Die schönsten Beispiele dieser Schrift
stammen aus Irland. In der Zeit zwischen dem 6. und 8. Jahrhundert ent-

stehen die wichtigsten Handschriften
des frühen Christentums, die alle in der
Unzialschrift geschrieben sind.
Die Pinselansätze sind im wesentlichen
die gleichen wie in den bereits behandelten Antiquaschriften. Die waage-
rechten Pinselansätze und die Form
der Buchstaben, wie sie in den Vorlagen behandelt werden, entsprechen am
ehesten den Unzialschriften, wie sie in
der Karolingerzeit geschrieben wurden. Sie stellt jedoch in der Gesamterscheinung eine modernisierte Form
dieses Jahrhunderts dar. Die Ansätze
der senkrechten Konturen werden bewegter geschrieben als die vergleich-
baren Konturen der schon behandelten Antiqua.

Zusammenfassung der Formen für die Hauptbewegungsgruppen innerhalb des Alphabets: gerade, runde und winkelige Formen.

KVYXZA

ABCDEFGHI
KLMNOPQR
STUVUXYL

**Verschiedene Pinselansätze,
die für die Unzialschrift notwendig sind.**

42

Die Pinselansätze sind im allgemeinen die gleichen wie bei der Antiqua-Schrift von Frage 2. Sie notwendigen Veränderungen sind auf diesem Blatt beschrieben.

**Gesamtbild und Details einer
dekorativen Schmucktafel für
ein öffentliches Gebäude.
Text der ältesten Urkunde des
Dorfes Schwabing aus dem
Jahre 782. Geschrieben in
Unziale auf marmoriertem
Grund.
T-Initiale in Blattgold.
120 x 80 cm.**

**Die Textur wird ebenfalls mit dem
¹/₄-Zoll-Rotmarder-Plattpinsel
geschrieben.
Es kann jedoch auch ein anderer
Rotmarder-Pinsel verwendet werden,
da die Proportionen in der Textur**

**nicht im gleichen Maße festgelegt sind
wie in der Antiqua.
Sehr gut läßt sich hierfür ein
Kunststoffpinsel verwenden, da er sehr
gut die Schreibspur hält und trotzdem
sehr elastisch ist.**

Das freie Schriftschreiben mit der Feder, und noch mehr das mit dem Pinsel, ist einer strengen geistigen Disziplin unterworfen. Die Wahl des Schreibuntergrundes und vor allem die Wahl des Schreibgerätes (Rohrfeder, Kielfeder, Stahl-, Breit- oder Spitzfeder, Plattpinsel weich oder borstenartig) ist bestimmend für die »Ästhetik der Schrift«: Im Gegensatz zu den bisher behandelten Schrifttypen (Antiqua und Unziale) sind die Pinselansätze in der Textur weitgehend identisch mit denen der Federschrift.

Der Einklang der Schrift mit dem jeweils vorherrschenden architektonischen Stil einer Epoche wird immer wieder in der einschlägigen Literatur hervorgehoben. Man spricht auch von der »Architektur der Schrift«, vom »Gerippe« der Schrift.

Die hier zu behandelnde Schrift, die sog. »Textura« (das Wort bedeutet soviel wie Gefüge, Gewebe, Zusammenfügung) ist eine späte gotische Schrift, die im Laufe der gotischen Stilepoche

zwischen dem 13. und 15. Jahrhundert entstanden ist. Die Textur ist das konsequente Formbild der Gotik im Zusammenklang mit der Architektur der Zeit. Sie ist die Buchschrift der späten Gotik. Sie ist formal das Gegenteil zu den Schreib- oder Laufschriften der Zeit; die Textur wird in der Gotik am Baudenkmal das, was die römische Kapitalschrift darstellte.

Die Textur eignet sich durch ihren würdevollen, feierlichen Charakter besonders für die Verwendung an der Architektur. Vorausgesetzt, man geht davon aus, daß diese Art von frei geschriebenen Schriften überhaupt an der Architektur eingesetzt werden sollte. Ihre charakteristischen Merkmale sind die konsequent gebrochenen Balken bei den Kleinbuchstaben (Minuskeln oder gemeine Buchstaben). Die Textura ist oben am Beginn und unten am Ende des senkrechten Striches gebrochen – im Gegensatz zu anderen gotischen Schriften. Diese gebrochenen Teile sind rautenförmige Zusätze, im Anstrich als Nasen und Füßchen im Abstrich. Die gebrochenen Schriften römischer Herkunft sind die Rotunda, Textur, Schwabacher und Fraktur. Gotische Schriften sind nur die ersten drei der genannten. Man spricht heute im allgemeinen von Frakturschriften, wenn man eine x-beliebige gebrochene Schrift meint. Die Bezeichnung ist nicht richtig. Frakturschrift ist nur eine ganz bestimmte Schrifttype unter den gebrochenen Schriften. Auch die Bezeichnung »Deutsche Schrift« als Sammelbezeichnung für gebrochene Schriften ist falsch. Nur die »Schwabacher« und die »Fraktur« sind deutschen Ursprungs.

Der Wandel von der romanischen zur gotischen Schrift vollzog sich sehr langsam im 12. Jahrhundert aus der karolingischen Minuskel. Die Einzelbuchstaben werden eckiger und schlanker in ihrer Gesamterscheinung. Die Betonung des senkrechten Duktus im Wortbild gewinnt damit an Bedeutung. Der Innenraum (Lichtraum) der Einzelformen wird teilweise extrem verengt und so die Lesbarkeit sehr verschlechtert – im Gegensatz zu anderen Schriften aus dieser Zeit, wie der spätkarolingischen Minuskel und der Rotunda = Rundgotisch.

Das Gesamttextbild wird dunkel, nicht zuletzt auch durch die Hinzunahme von Ligaturen (= Buchstabenverbindungen).

Durch die Erfindung des Buchdrucks durch Johannes Gutenberg wird die Textura zur ersten gesetzten und gedruckten Schrift überhaupt. Das wohl berühmteste Druckwerk, die 42zeilige Bibel von Gutenberg, ist in der Textura gesetzt worden. Sie erschien im August 1456.

Die Textura ist eine Schrift, die wegen ihrer feierlichen, dekorativen Ausdrucksweise hauptsächlich für religiöse Texte eingesetzt wurde.

In Deutschland hat sich die Textura am weitesten entwickelt. In Frankreich ist sie in der Gesamterscheinung eleganter, in Deutschland hingegen kräftiger und derber.

Die rautenförmigen Nasen und Fußteile der Bruchstellen wurden im Lauf der Entwicklung besonders betont. Dies geschah durch einen zweiten Federansatz (zweiter Pinselansatz bei der Variante auf Seite 54).

Versalbuchstaben sind in der frühen Phase noch nicht ausgebildet. Es werden für Satzanfänge und Eigennamen Unzialformen und wenig gebrochene Formen, die aus der Minuskel entwickelt wurden, verwendet.

In der gesamten europäischen Schriftentwicklung paßt sich zum ersten Mal der Versalbuchstabe den gemeinen Buchstaben an.

Bis dahin verlief die Entwicklung umgekehrt.

Bei den Versalien der gotischen Schriften, also auch bei der Textur, entstanden aber trotzdem eine Reihe von verzierten Buchstaben.

Die gebrochenen Schriften, auch die gotische Textur, können demjenigen Schreiber, der sie kritisch immer wieder überprüft und konsequent an der eigenen Form arbeitet, für manche Aufgabe auch heute noch interessante Begleiter sein.

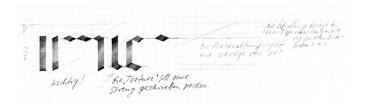

1 Richtige Pinselansätze für die gemeinen Buchstaben.
2 Falsche Pinselansätze.
3 Alphabet der gemeinen Buchstaben

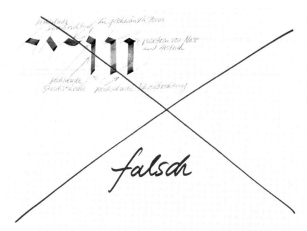

4 Alphabet der Versalbuchstaben.
5 Bei gebrochenen Schriften
keine Versalworte schreiben!

6–9 Beispiele für die richtige
bzw. falsche Schreibweise mit
dem langen ſ und dem Schluß-ß.

Falsche Schreibweise auf zwei runden 90° Buchstaben.

Fassaden

falsch

Richtige Schreibweise mit einem langen, 5° Buchstaben.

Anstrich

Falsche Schreibweise mit einem runden 45° Buchstaben.

Anstrich

falsch

**Verschiedene Pinselansätze,
die für die »gotische Textur« notwendig sind.**

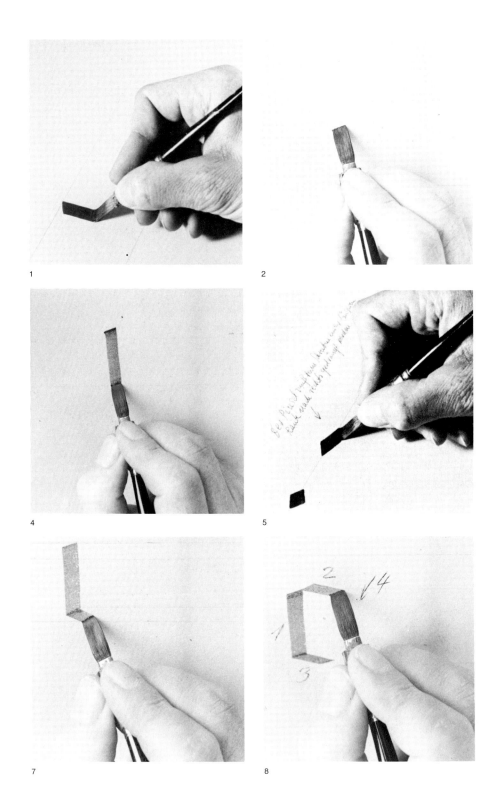

3

6

9

Pinselansätze und Pinselhaltung für die Textur-Buchstaben:

1 + 2 Schräger Pinselansatz für die senkrechte Kontur.

3 + 4 Unten wird der Abschluß der senkrechten Kontur im gleichen Winkel ausgebildet, wie der Balken oben angesetzt wird.

5 Das Schreiben der Rauten, Nasen und Verbindungsstücke oben sowie der Füße und Verbindungsstücke unten. Bei breiten gezogenen Verbindungsstücken wird der Pinsel während des Schreibvorgangs nach rechts gedrängt, so daß die beiden Eckpunkte auf der waagrechten Linie bleiben.

6 Ansetzen der Nase oben.

7 Ansetzen des Fußes, z. B. für ein kleines n, m, a usw.

8 Abfolge der Striche für ein kleines o.

9 Schreiben einer gebrochenen Schrift nach einer Makulatur.

Die auf dieser Seite abgebildeten
Beispiele zeigen zwei dekorativ
wirkende Varianten zur Textur.

abcdefhíjklmno
pqrsstuvwryz
ABCDEGHI

1 + 2 Gemeine und Versalien
einer Type, die der Textur des
15. Jahrhunderts entspricht.
Versalrundungen sind etwas
strenger gehalten. Die
gemeinen Formen sind mit
Schnitten versehen und im
Gesamtbild offener.

JKLMNOP
QRSTUVWX
YZ EF

Gasthof Post

3 Wortbild einer weiteren
Variante mit veränderten Nasen
und Endstellen.

54

Die richtige »s«-Schreibweise

Es ist in unserer Zeit kaum zu erwarten, daß jemand, der der Nachkriegsgeneration angehört, die richtige Schreibweise der verschiedenen »s«-Buchstaben bei den Minuskeln der gebrochenen Schriften kennt.

In den Schulen wird nicht mehr darauf aufmerksam gemacht. Das Ergebnis in der Praxis bestätigt dies. Die in den letzten Jahren wieder in Mode gekommenen »Fraktur«-Schriften werden fast ausnahmslos – was den besprochenen Punkt anbetrifft – falsch geschrieben.

Auch die Antiqua-Schriften hatten früher eine lange »s«-Form und eine Schluß-»s«-Form. Hier hat sich jedoch im Laufe der Zeit eine einheitliche Schreibweise durchgesetzt.

Es sollte also bei der Verwendung von gebrochenen Schriften eine unumstößliche Regel sein, sich an die »s«-Rechtschreibung zu halten.

»Der › s ‹-Laut wird in unserer Sprache durch die Buchstabenzeichen ſ , s , ß und ſſ sichtbar gemacht.

Das stimmhafte, sog. weich gesprochene »ſ« steht nur im Anlaut und Inlaut eines Wortes (Beispiel: Saite, Sänger, Silber, oder Anſager, Labſal, Rätſel). Es steht also am Anfang eines Wortes oder einer Silbe, wie auch in den Lautverbindungen ſt und ſp.

Das Schluß-»s«, das auch das runde s genannt wird – im Gegensatz zum langen ſ –, steht nur im Auslaut, und zwar in Stammsilben, die im Inlaut mit langem ſ geschrieben werden (Beispiel: Gemſe – Gemsbock – Gemüſe – Mus) – ferner in Endungen wie auch in der Nachsilbe -nis (Beispiel: Gleichnis, Bündnis) wie auch in kurzen einsilbigen Wörtern (es, was, das, bis) und in Zusammensetzungen (Samstag, Dienstag, Ordnungsliebe).«

Verschiedene Pinselansätze,

die für eine der beiden »Textur«-Varianten notwendig sind.

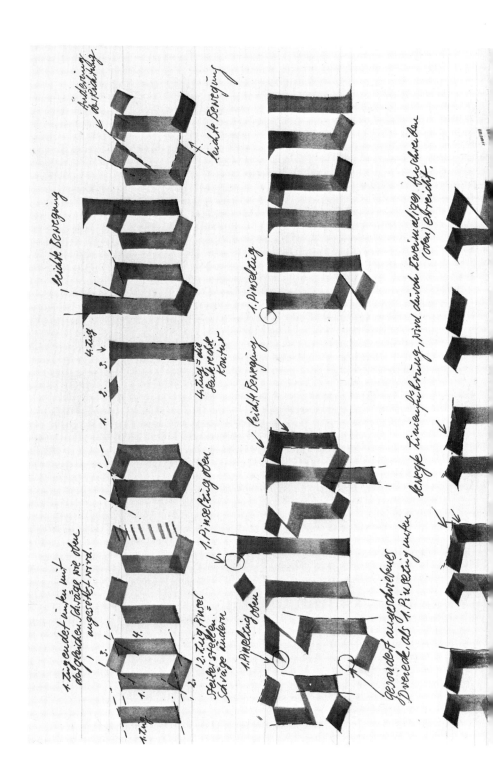

56

Textur Variante. Bewegt geschriebene Form mit versetzten Ansätzen.

**Die Fraktur wird ebenfalls mit dem
¹/₄-Zoll-Rotmarderpinsel geschrieben.
Wenn ein breiterer Pinsel verwendet
wird, muß die Schrift entsprechend
höher geschrieben werden.**

**Für die Schreibweise des langen und
kurzen oder Schluß-»s« gilt bei der
Fraktur das gleiche wie bei der
gotischen Textur**

Fraktur

Die Fraktur ist die Schrift der deutschen
Renaissance. Nördlich der Alpen
wurde sie neben der Antiqua der
Humanisten gepflegt. In Italien hingegen wendet man sich zu Beginn des
15. Jahrhunderts ganz vom gotischen
Stil ab und verfolgt die Antike, um
diese in allen Künsten zu erneuern.
Der Name Fraktur bedeutet soviel wie
gebrochene Schrift (fraktum = gebrochen). In Wirklichkeit ist die auf den
Seiten 45–57 behandelte »Textura«
die eigentliche, in allen Teilen gebrochene Schrift. Heute faßt man unter
Frakturschriften alle gebrochenen
Schriften zusammen.
Die Fraktur entstand in der Mitte des
15. Jahrhunderts und war Anfang des
16. Jahrhunderts voll ausgebildet. Sie
kann ihre Herkunft von den gotischen
Schriften, insbesondere von der Textura, nicht leugnen. Im Vergleich dazu
ist die Fraktur eine bewegte, schwin-

gende und raumgreifende Schriftart.
Dies zeigt sich ganz besonders bei den
stark bewegten Formen der ausladen-
den Versalien.
In der Fraktur wechseln gebrochene
und runde Formen ab. Ein Haupter-
kennungsmerkmal ist der sogenannte
»Elefantenrüssel«. Auch der beim
langen »s« gewundene, zur Spitze aus-
laufende Abstrich ist ganz typisch für
die Fraktur. Typisch ist aber auch die
Gabelung der Überlängen bei einigen
Buchstaben.
Mit der Fraktur wurde zum ersten Mal
eine formale Einheit innerhalb der
Versalien und Gemeinen erreicht.
Dies ist z. B. bei der Antiqua nicht der
Fall, bei der beide Elemente ohne in-
nere Einheit nebeneinanderstehen.
Der Schweizer Jan Tschichold schrieb
in seinem 1961 erschienenen Buch
»Geschichte der Schrift in Bildern«:
»Die Fraktur ist unserer Schreibweise
viel besser angepaßt als die ihr fremde
Antiqua. Ihre Ausschaltung, aus
ödestem politischem Utilitarismus
geboren, ist größtenteils eine der

Schandtaten der neueren Geschichte, eine Schandtat, die der willkürlichen Zerstörung eines großen Kunstwerkes gleichkommt.«

Die Fraktur ist im Grunde der Inbegriff einer geschriebenen Schrift. Die Frage, ob mit der Feder oder mit dem Pinsel geschrieben, ist nicht entscheidend, denn die Fraktur erhält durch das Schreibgerät ihren eigenwilligen Duktus, ihren Rhythmus; sie ist auf konstruktive Weise nicht zu zeichnen. Schon Dürer scheiterte mit seinem Versuch, z. B. eine Textura zu konstruieren, aus dem eben genannten Grund. Um so entscheidender ist, daß derjenige, der sich mit dem Schreiben der Fraktur befaßt, eine sehr sorgfältige Prüfung der wichtigsten existierenden formalen Fassungen vornimmt. Vor allem jüngere Menschen erschwert das Merken der verschiedenen Formelemente das Schreiben der Versalien. Der Schreibende sollte sich nicht so sehr von den stark verschnörkelten Formen der Schönschreiber der Barockzeit beeindrucken lassen. Hier waren es mitunter einige Schnörkel zuviel. Die gedruckten Alphabete hielten im allgemeinen die strengeren Formen der Frühzeit bei. Lediglich bei den geschriebenen Formen, und ganz besonders bei den Versalien, treten diese erwähnten formalen Übertreibungen auf. In diesem Jahrhundert wurde von den wichtigsten Schriftkünstlern eine Reinigung im Hinblick auf das Wuchern von Schnörkeln vorgenommen. Auch das sollte derjenige, der sich damit auseinandersetzt, nachvollziehen.

Man muß sich beim Schreiben mit dem Pinsel immer wieder darüber klar werden, daß es ein großer Unterschied ist, ob man mit der Feder in kleinen Schriftgrößen auf Papier oder ob man mit dem Pinsel relativ große Buchstabenformen stehend an die Wand schreibt. Schriften, die mit der Feder eine gute Wirkung haben, sind in der Größe, in der Maler und Schriftenmaler sie verwenden, oft nicht zu gebrauchen; sie sind zu dürftig, zu wenig monumental; sie haben zu flüchtige Endungen und andere Nachteile mehr.

Die Alphabetblätter sind in einer Buchstabenhöhe (Mittel-Länge + Über-Länge oder Versalbuchstaben) von 5 cm geschrieben.

1 Richtige Pinselansätze für die gemeinen Buchstaben. Gerade die einfachen Ansätze bei den Kleinbuchstaben i, j, n, m, u müssen richtig geschrieben werden.

2 Falsche Pinselansätze für die gemeinen Buchstaben. Immer wieder wird der Fehler gemacht, daß die Kleinbuchstaben i, j, n, m, u oben bzw. unten falsch ge-brochen geschrieben werden. Das Beispiel zeigt ganz deutlich die typischen Fehler bei den genannten Buchstaben.

3 Alphabet der gemeinen Buchstaben.

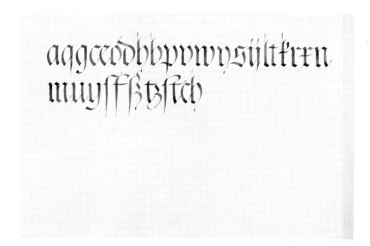

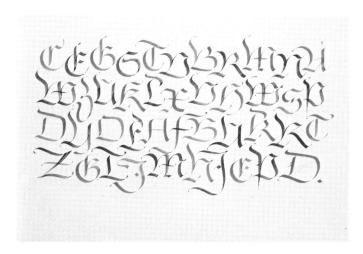

4 Alphabet der Versalbuch-staben. Vor allem die Versal-buchstaben müssen gut ausge-wogene Innenräume haben und sollen mit genügend großen Abständen gesetzt werden, da die schwungvollen Einzelteile Raum zur Entfaltung benötigen.
5 Richtige Schreibweise. Wortbildung aus Versalien und Gemeinen.
6 Falsche Schreibweise. Wortbildung aus Versalien ist ungünstig.

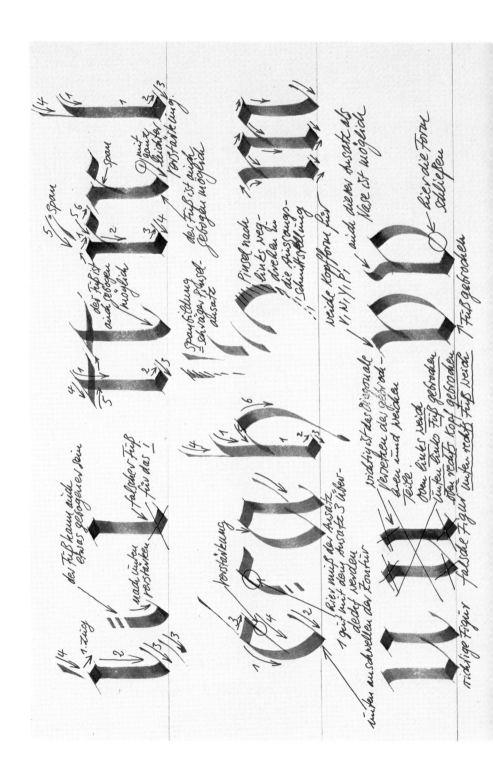

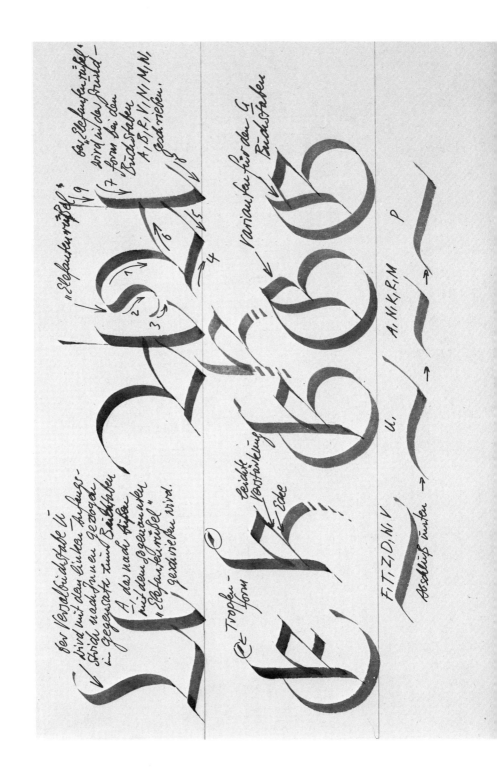

Variante zwei - A
Buchstaben.

Varianten für den F
Buchstaben.

Ansatz für das B Buchstaben über
den »Steigungswinkel«.

mit
»Steigungswinkel«

Im Gegensatz zu allen anderen Schriften, vor allem den
Lateinischen, werden die Versalien der Fraktur mit unterschiedlicher
Formvarianten geschrieben. Bei den hier gezeigten Beispielen handelt
es sich um gebräuchlichste Formen.

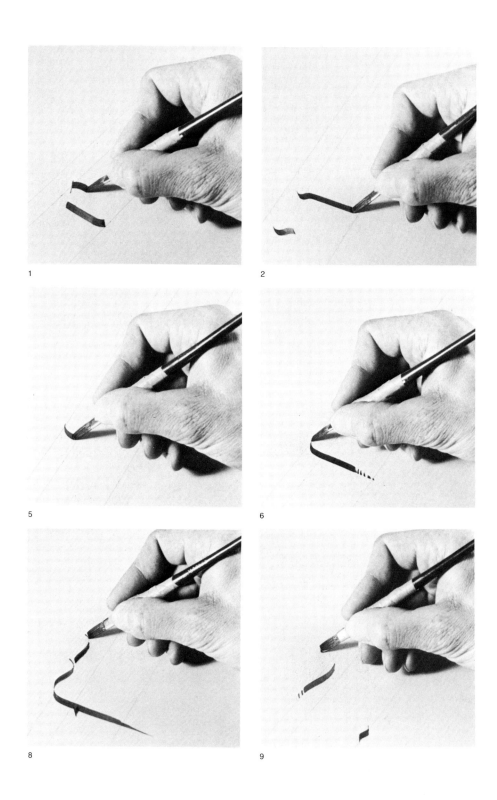

3

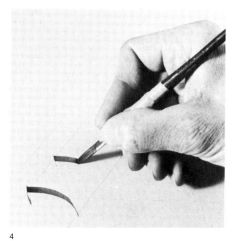

4

7

10

Pinselansätze und Pinselhaltung für die Fraktur-Buchstaben:

1 Schräger Pinselansatz für die Nase bei den gemeinen Buchstaben i, n, p, r, u, v, w, x, y. Der Abschluß unten endet im gleichen Winkel.

2 Ansatzvariante für die Nase (oben) der Buchstaben p, v, w, y.

3 Leichtes Verstärken der unteren Abschlußstellen durch Zunahme des Drucks auf den Pinsel.

4 Die runden Bogen (rechts) bei den Buchstaben b, d, f, n, o, p, v, w, y, z und langes »s« werden durch Wegdrehen des Pinsels nach links geschrieben. Dabei wird der Pinsel in Schnittstellung gebracht.

5–9 Typischer Pinselzug für die Fraktur, hier z. B. für das lange »s«. Bild 7 zeigt durch Punktieren das langsame Wegdrehen des Pinsels nach links zur linken Pinselkante hin.

10 Flüssige Schreibbewegungen für die Versalien.

1–3 Frei mit Lackfarbe auf ein Säge-
blatt geschriebene Fraktur als originelle Kennzeichnung für ein Sägewerk.

Dieses Beispiel zeigt wie ganz wenige,
daß ein Gefühl für Proportion und
Raum entscheidend für ein überzeu-
gendes Ergebnis ist.

Die hier behandelte strenge Kursivschrift wird auch »humanistische« bzw.
»italienische Kursive« genannt. Von
den Engländern wird sie »Italic« be-
zeichnet, da sie auf den humanistischen
Handschriften der Italiener aufbaut.

Die Entwicklung der lateinischen
Kleinbuchstaben (Gemeinen) war im
9. Jahrhundert zur Regierungszeit
Karls des Großen abgeschlossen. Die
Karolingische Minuskel wurde für die
Schrift der Römer gehalten.

Im 15. Jahrhundert wurde der Begriff
»Antiqua« geprägt; gemeint sind zu-
nächst die gemeinen Buchstaben. Die
Antiqua ist die Schrift der italienischen
Humanisten.

Diese neu entstandene humanistische
Minuskel wurde in Verbindung mit
römischen Versalien geschrieben. Die
Großbuchstaben und die Kleinbuchstaben stellen im Grunde bis auf den
heutigen Tag keine Einheit dar. Man
hat zwar in der italienischen Renaissance versucht, die römischen Versalien den gemeinen Buchstaben der
Minuskel etwas anzugleichen, doch das
gelang nur in Einzelfällen.

Die Schrift bekam durch leichte
Schrägstellung (etwa 80 Grad) nach
rechts eine schnellere Schreibbarkeit
bzw. Lesbarkeit im Vergleich zu geraden Schriften.

Die Gesamterscheinung dieser hier
behandelten klassischen Kursivschrift
ist eher schmallaufend, nicht so breit-
laufend wie die bewegte Form, die auf
Seite 76 behandelt wird.

Die Unterschiede bei den verschiedenen Kursivschriften bestehen meist im
Variieren der Über- und Unterlängen.
Beim Schreiben dieser strengen Type
sollte darauf geachtet werden, daß die
Ausschmückung der Buchstaben
durch starke Formbewegungen nicht
übertrieben wird. Die Kleinbuchstaben sollten wenig Bewegung aufweisen, da sie bei langen Texten eine kla-
re, geschlossene Zeilenwirkung erge-
ben sollen. Die Versalien können etwas bewegter ausgeformt werden. Es
sollte aber grundsätzlich darauf geachtet werden, daß diese Kursive eine
feierliche, strenge Haltung bewahrt.

Das Schreiben der kursiven Schriften
in den Größen, in denen der Maler und
Schriftenmaler sie braucht, erfordert
eine ganz besonders gefühlvolle Einbindung in die jeweilige Architektur,
da andernfalls ein dürftig aussehendes
Ergebnis zu erwarten ist.

Die Proportionen der strengen Kursive
werden mitunter sehr unterschiedlich
angelegt. In den meisten Fällen wird
die gesamte Höhe = Mittellänge +
Überlänge halbiert. In manchen Fällen
wird die Überlänge gegenüber der Mittellänge etwas kürzer gehalten.

1 Richtige Pinselansätze für die gemeinen Buchstaben.
2 Falsche Pinselansätze für die gemeinen Buchstaben.
3 Alphabet der gemeinen Buchstaben.

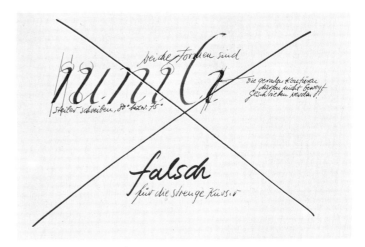

4 + 5 Alphabet der Versalbuchstaben.
6 Wortbildung aus Versalien
und Gemeinen.
Eine Wortbildung nur aus
Versalien ist ungünstig.

Kursiv

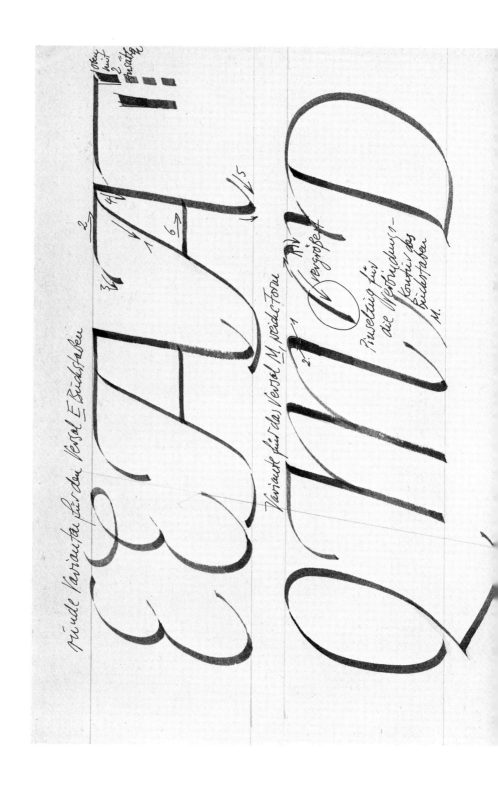

Diese Kursive wird mit dem gleichen $^1/_4$-Zoll-Rotmarderpinsel geschrieben wie die bisherigen Schriften. Es kann aber auch ein schmälerer Pinsel verwendet werden.

Wichtig ist, daß es sich um einen echten Rotmarderpinsel handelt, der genügend Spannung aufweist. Er muß nach Belastung wieder in seine Ausgangslage zurückfedern.

Bewegte kursive Form

Die in diesem Abschnitt behandelte bewegte Form einer Kursiven basiert auf der humanistischen Kursivform des 15. Jahrhunderts. Sie ist in der Gesamterscheinung bewegter und freier angelegt wie die auf der Seite 69 dargestellte strenge Form. Die Schräglage der Schrift neigt sich etwas mehr nach rechts, und besonders die Versalformen sind in ihrer Bewegung schwungvoller.

Im 16. Jahrhundert wird die humanistische Kursive etwas feingliedriger. Die Verbindungsbögen bei den Buchstaben n und m z. B. werden weicher und weiter und wirken in der Gesamterscheinung flüssiger. Diese neue Schriftform wurde im Verlauf der weiteren Entwicklung dann mit der Spitzfeder geschrieben und auch in Kupfer gestochen.

Diese elegantere Kursivform kann genauso wie die bisherigen Alphabete mit dem $^3/_4$-Zoll-Rotmarderpinsel geschrieben werden. Es empfiehlt sich aber, auf die Höhe, auf die diese Vorlagen geschrieben sind (7,5 cm Versalhöhe), den Pinsel zu drängen, d. h. ihn schmäler zu benützen. Ein guter Pinsel läßt dies ohne weiteres zu. Man sollte bei dieser freien, zierlichen Form unbedingt darauf achten, daß sie nicht zu fett geschrieben wird.

Diese Kursivform läßt wie kaum eine andere in dieser Anleitung behandelte Schrift Variationen bei den Versalien zu. Der Schreiber, der die hier gezeigte Grundform beherrscht, sollte gerade bei der Kursiven ständig bereit sein, gute Beispiele zu suchen und sie in reflektierenden Studien in sein FormRepertoire miteinzubauen.

**4–6 Alphabet der Versal-
buchstaben.**

7 Wortbildung mit gemeinen
Buchstaben.
8 Wortbildung mit Versalien
und Gemeinen.

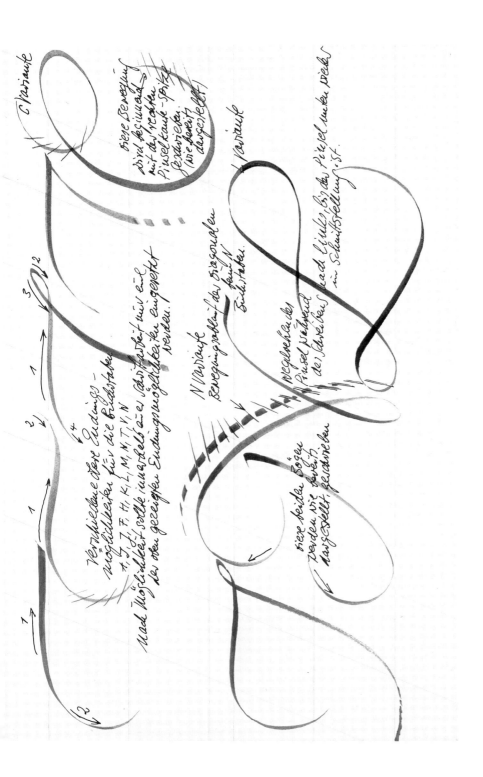

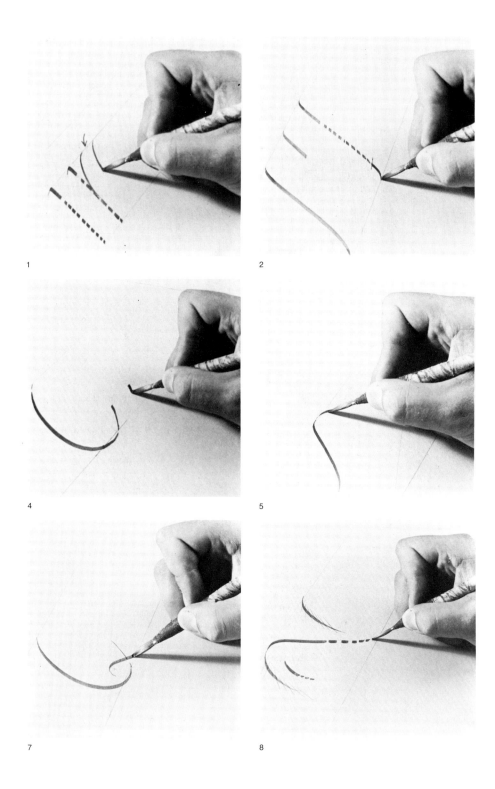

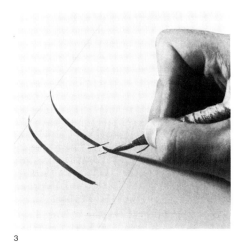

3

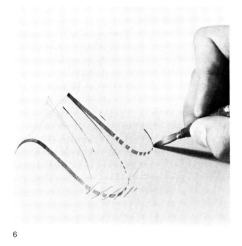

6

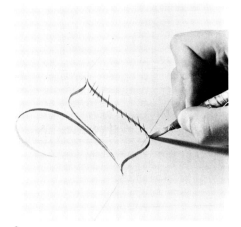

9

Pinselansätze und Pinselhaltung für verschiedene Buchstaben:

1 Schräger Pinselansatz von etwa 30 Grad für die Nase der Kleinbuchstaben i, j, r, h, l, p, d, b sowie leicht verändert für n, m, u, v, w, y.
2 Ansatz für lange bewegte Konturen, z. B. für die Versalien F, H, A, K, J, Z, P, R, Y.
3 Linker Teil des O-Bogens mit dünnem Auslauf nach unten bei gleichzeitigem Wegdrehen des Pinsels nach rechts.
4 Linker Teil des O-Bogens mit tropfenartiger Endstelle, z. B. für das Versal-C.
5 Tropfenförmige Endstelle nach rechts geschrieben für das kleine f, s sowie die Versalien F, S, C, K.
6 Verbindungslinie vom ersten linken Abstrich zum zweiten letzten Schlußabstrich. Oben leicht verstärkter Ansatz. Der Pinsel wird durch Wegdrehen leicht nach unten geführt und somit in der Linienführung immer dünner.
7 Die Schweifbildung beim Q wird ebenfalls durch Wegdrehen des Pinsels nach rechts erreicht.
8 + 9 Typische Pinselführung für eine Reihe von Versalformen.

1 Ausschnitt aus einer frei auf Glas
geschriebenen Schaufenster-
beschriftung.

2 Frei geschriebene Versalien auf
gestupftem Grund
(Schrifthöhe: 27 cm).

Schreibvariante

**Technisch bedingte Schreibvariante,
die für verschiedene Schrifttypen
verwendet werden kann.**

Die hier behandelte Art der Schreibweise ist durch die technische Handhabung des Schreibgerätes, in unserem Fall des Pinsels, bedingt.

Es handelt sich um eine Schreibweise, die sich sehr oft einsetzen läßt, wenn die Schriften nicht zu groß geschrieben werden müssen. Gerade durch die poröse Offenheit der Kontur (im Strich) und als Konturbegrenzung ergibt sich ein sehr frei wirkender Gesamteindruck. Der freie poröse Duktus dieser Schreibweise läßt sich bei einiger Übung und entsprechendem Einfühlungsvermögen gut erlernen.

Im allgemeinen genügt es, die zu schreibende Schrift locker aufzuskizzieren und dann mit deckender Farbe zu schreiben. Für das Schreiben an der Wand gilt nach wie vor das auf Seite 17 Gesagte, im Hinblick auf das Vorschreiben von Makulaturvorlagen, die über die zu schreibende Schrift an die Wand gehängt werden. Ganz besonders eignet sich diese Schreibart auch für Schriftarbeiten auf Papier und Karton, auf gerollten, gestupften Holz- oder Spanplatten.

Es ist unter Umständen leichter, mit diesem Schreibduktus ein gut aussehendes Ergebnis zu erhalten, als dies bei freiem Schreiben der bisher behandelten Schriften der Fall ist.

ich kenne diese Art des Kopfes
die richtig geschriebene Zeichen

1 Diese Konturen sind dadurch erreicht indem man den Pinsel, der mit deckender Farbe gefüllt ist, während des Schreibens immer wieder

... ist ich für diese Schreibtechnik ist die geübbere Formhit

Die Art des Schreibens für die hier gezeigten, mit deckender Farbe geschriebenen Schriften.

1 + 2 Frei und deckend geschriebene Schriften, auf Karton bzw. gerollten Holz- oder anderen Untergründen.

Ziffern

**Es wird in diesem Beitrag voraus-
gesetzt, daß die richtige Schreibweise
und Anwendung sowie das Lesen der
römischen Ziffern bekannt ist.**

Ziffern

Ausgehend von den römischen Ziffern, die heute nur noch für Jahreszah-
len und Daten an historischen Bauten
verwendet werden, soll zu den verschiedenen Alphabeten jeweils eine
geeignete Zahlenreihe gezeigt werden.
Die Ziffern sind, im Zusammenhang
mit dem Alphabet betrachtet, doch
sehr problematische Form-Elemente
und bilden die dritte Gruppe im Alphabet (Versalien – Gemeine – Zahlen).
Gerade bei den gebrochenen Schriften
war die arabische Zahlenreihe sehr
vielfältig und eigenwillig ausgeformt.
Die arabischen Ziffern sind in Europa
seit etwa der Mitte des 12. Jahrhunderts geläufig. Als Zahlzeichen dienten
jedoch bis ins 14. und 15. Jahrhundert
die Buchstaben der römischen Kapitalschrift, die seit der Antike als Zahlzeichen üblich waren, jedoch in gotischen
Minuskeln (= Kleinbuchstabe oder ge-
meiner Buchstabe) geschrieben wurden.
Beispiel: I und J = 1, V = 5, X = 10,
L = 50, C = 100, D = 500, M = 1000.
Seit dem Ende des 15. Jahrhunderts
werden die arabischen Ziffern mit ganz
speziellen Ausformungen im Sinne des
gotischen Stils verwendet. An den
Bauten der Gotik und Renaissance
wurden die arabischen Ziffern relativ
selten angewendet; sie wirken weniger
monumental und baugerecht. Ganz ei-
genwillige Formabwandlungen treten
bei den Zahlen 3, 4, 5 und 7 auf; sie
haben noch nicht ihre endgültige Form
erreicht.
Die Ziffern wurden meist dem jeweili-
gen Charakter der Schriftart entsprechend mit Über- und Unterlängen geschrieben; die Zahlen 3, 4, 5, 7, 9 mit
Unterlängen, die 6 und 8 mit Überlängen.
Seit Anfang des 16. Jahrhunderts pas-
sen sich die arabischen Zahlzeichen
immer mehr dem Formcharakter der
Zeit an und werden langsam zu den uns
heute geläufigen Ziffern. Die Zahlen
der jüngeren Zeit haben keine Über-
und Unterlängen mehr. In der Grotesk-
schrift verlaufen sie oben und unten in
einer Linie.

1 Zahlzeichen zur römischen
Antiqua.
2 Mögliche Darstellungsform
arabischer Zahlzeichen
zur römischen Antiqua.
3 Arabische Zahlzeichen
zur Antiqua römischer Form
passend.
4 Zahlenbeispiel für 1982
zur Antiqua römischer Form
passend.

ANTIQUA

ILVXMDCO

1

1234567 80

9 bis oben in die Kopfzeile.

2

ANTIQUA

1234567 80

3

1082

4

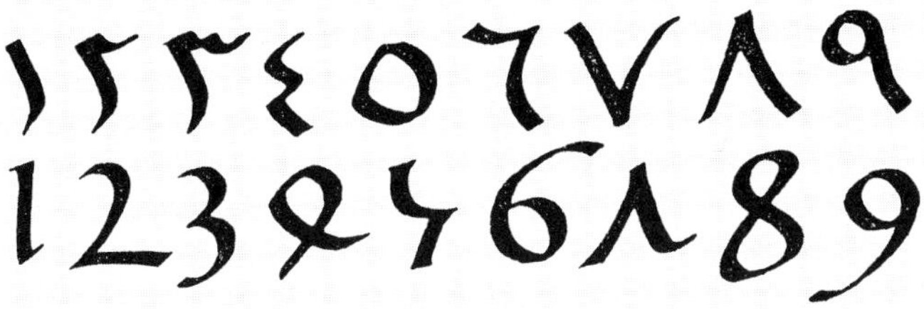

1

1 Historisches Beispiel einer
ostarabischen Zahlenreihe
(obere Zeile) und einer mittel-
alterlichen europäischen
(untere Zeile).
2 Eine mögliche Form der
Zahlzeichen zur Textura passend.
Die Textura stellt zweifellos die
Form dar, in der die Zahlenreihe
für eine heutige Schreibform
am wenigsten geklärt ist.
3 Historisches Beispiel
von Zahlen 1500 bis 1570
(obere Zeile).

2

3

93

1 Zahlenreihe zur Fraktur
passend.
2 Historisches Beispiel von
Kursivzahlen des 18. Jahrhunderts.
3 Zahlenreihe in der Form der
Kursivschrift.

Fraktur

1234507800

1

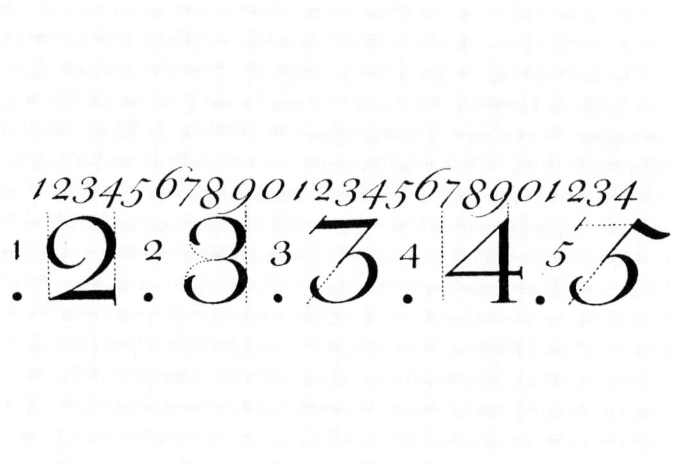

1234567890123456789 01234

1 2 2 3 3 4 4 5 5

2

Kursiv

123456789

3

Gute Beispiele

Bekannte Renaissance-Sgraffito-Fassade in Weitra (Waldviertel): Schrift auf der Basis des freien Schreibens aus der Putzschlämme gekratzt.

1

2

**1 + 2 + Bild 3 S. 97 Schriftanwendung
in den Münchener Hofgarten-
Arkaden, frei geschrieben (Gesamt-
übersicht und zwei Details).**

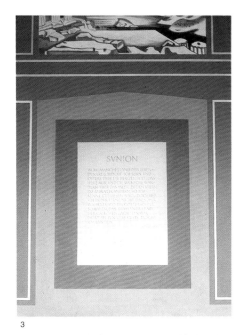

3

4

5

6

4 Schmucktafel mit Versalbuchstaben
und großen, farbigen Initialen
in der Mitte.
5 Frei mit Lackfarbe auf eine
Metallplatte geschriebene Schrift, die

gegenüber der Originaltype leicht
verändert ist.
6 Altes Schriftbeispiel einer kuriosen
Fraktur an einem Haus in
Andeer/Graubünden (Schweiz).

Beispiele für freie und eingebundene Schriftanwendung an der Fassade, geschrieben oder in Sgraffitotechnik ausgeführt.

1 Frei in die Fläche gesetzte, geschriebene Schrift am »Wiedenhof« im Leitzachtal.

2 Sgraffitoschrift, die auf der geschriebenen Antiqua-Schrift basiert, im Oberengadin.

3 Geschriebene gotische Textur in einer gotischen Kirche.

4 Freie Sgraffitoschrift, in einer Schildform eingebunden.

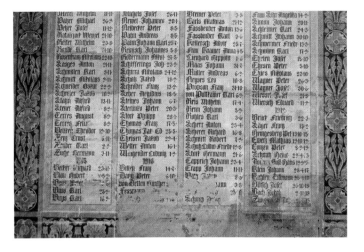

1 Kriegergedenktafel,
frei geschrieben

2 Frei geschriebener Hinweis
auf grobem Sandsteinmauer-
werk. Das Beispiel zeigt deutlich,
wie der dekorative Charakter
der Schrift durch die Verengung
des Buchstaben-Innenraumes
(Lichtraum) und die Über-
höhung der Schrifttype gesteigert
wird.

1 Gemaltes Marmorschild an einem
Restaurant.
2 Frei geschriebener Text
auf Pergament.
3 Frei geschriebene Textur auf einem
auf Putz aufgemalten Schild.

1 Metall-Schriftschild als Kennzeichnung für historische Bauwerke.

2 Geschriebene Schrift auf
marmoriertem Grund.

Freie Schriftformen als kalligraphisches Spiel.

3 Geschriebene Schrift auf marmoriertem Grund.

4 Gemaltes Schriftschild.

Freie Schriftformen als
kalligraphisches Spiel.

1 + 2 Schöne, frei aus der Putzschlämme gekratzte Antiqua, die auf
einer frei geschriebenen Antiqua
basiert (Oberengadin).
Siehe Seite 37 + 38

1 Schmuckblatt mit Plakafarbe
auf Papier geschrieben.
2 Ausschnitt eines längeren, auf
die Wand geschriebenen
Unzialtextes.

1 Frei geschriebener Entwurf für eine Außenbeschriftung. 2 + 3 Schmuckblätter mit Plakafarbe auf Papier geschrieben.

S. 108
1 Grabkreuz auf einem ländlichen
Friedhof. Die Schrift ist mit Ölfarbe
frei auf lackiertem Blech geschrieben.
2 + 3 Frei geschriebene Schriften
auf zwei Schildern.

1 Ladenbeschriftung. Frei mit dem
Pinsel an die Wand geschriebene
Textur.
2 Eingebundene Fassaden-
beschriftung in eine gliedernde
Fassadenmalerei.

Verschiedene Schriftproben auf Putz, als Vor- und Einschreibübung.

1 Stifter-Inschriften (in Textur) in der Michaelskapelle der karolingischen Torhalle auf Frauenchiemsee.
2 Gemeißelte Textur in einem Schlußstein eines gotischen Gewölbes.

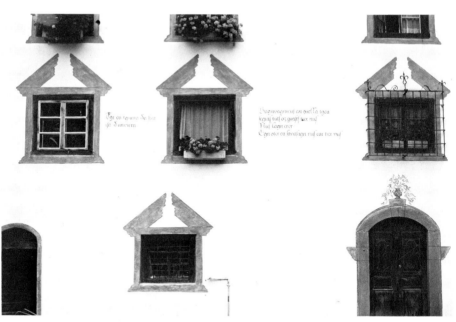

1 Sehr schön proportionierte
Antiqua, gemeißelt als umlaufende
Inschrift im Herzogspalast von Urbino.

2 Neu geschriebene Texte an einem
Haus in Andeer/Graubünden
(Schweiz) – nach altem Vorbild gefühl-
voll in die Fassadenfläche gesetzt.

Schlechte Beispiele

Diese Anleitung sollte nicht abgeschlossen werden, ohne auch einige schlecht geschriebene und falsch angeordnete Schriften an Fassaden zu zeigen. Nur dadurch wird das Auge geschult, positive und negative Beispiele klar voneinander zu trennen. Was auf den folgenden Seiten wiedergegeben ist, ist keine Übertreibung, sondern Schriftanwendung in der Praxis. Solche »Taten« können wir auf Schritt und Tritt verfolgen, wenn wir nur einmal bereit sind, nicht alles, was einen Schnörkel hat, in den Himmel zu heben.

Wenn man mit einigem Interesse und Engagement an unserer gestalteten Umwelt im Maler- und Schriftenmalerberuf mitarbeitet, kann man nicht ruhig bleiben bei der »Blindheit«, die sich in allen Landstrichen auf diesem Gebiet breitgemacht hat.

Das nicht mehr wegzudenkende Kupfer- oder, besser gesagt, Kupferersatz-Schild (Kunststoff auf Kupferton getrimmt), meist mit Fraktur oder andersartig gebrochener Schrift versehen und so den Eindruck von deftig und bodenständig erweckend, ist in seiner Einfallslosigkeit nicht mehr zu überbieten. Diese fabrikmäßig erzeugte Langeweile veranlaßt viele, ein Gegengewicht zu setzen.

Um eine gute Wirkung an der Wand zu erzielen, muß aber das Augenmerk gerichtet werden 1. auf die Verteilung der Schrift zur gegebenen Fläche und diese wiederum zur Architektur, 2. auf die Schrifttype und deren richtige Stärke in bezug zur Schrifthöhe sowie zu der noch möglichen Schreibbarkeit. Dem Thema »Schrift« soll ein Zitat des Architekten Peter Behrens an den Schluß gestellt werden: »Eines der sprechendsten Ausdrucksmittel jeder Stilepoche ist die Schrift. Sie gibt nächst der Architektur wohl das am meisten charakteristische Bild einer Zeit und das strengste Zeugnis für die geistige Entwicklungsstufe eines Volkes. Wie sich in der Architektur ein voller Schein des ganzen Wogens einer Zeit und äußeren Lebens eines Volkes widerspiegelt, so deutet die Schrift Zeichen inneren Wollens, sie verrät von Stolz und Demut, von Zuversicht und Zweifel der Geschlechter.

Damit sollte eine Gegenüber- und Gleichstellung von Architektur und Schrift im Sinne kultureller Bedeutung der beiden Künste angedeutet werden. Wenn es sich nun aber bei der heutigen Frage um »Schrift in der Baukunst« handelt, so tritt eine andere Erwägung hinzu. Jetzt handelt es sich nicht mehr um die beiden gleichgesinnten Künste, ihre verwandtschaftliche Ähnlichkeit im wirkungsvollen Erscheinen, sondern ganz allein um Architektur.

In diesem Falle ist nun Schrift nicht mehr schöne Graphik, geschrieben auf Pergament oder gedruckt auf Bütten, sondern sie wird zum Bauelement.«

1 + 2 Frei geschriebene Antiqua. Die Absicht ist klar, doch das Ergebnis kläglich. Form, Breiten und Proportionen dieser Schrift sind völlig mißlungen.

3 Dieses Nasenschild ist in dem zur Zeit üblichen »Lüftl-Touch« ausgeführt. Leider sind die meisten Leute auch noch erstaunt über so viel Originalität.

4 Dieses Beispiel zeigt deutlich, daß es nicht damit getan ist, einen Pinsel in die Hand zu nehmen und Texte an die Wand zu schreiben.

5 Ein ganz typisches Beispiel für einen Schriftblock, wie er schlechter nicht sein kann. Aufgemalte Texte wechseln sich mit frei geschriebenen ab. Die meisten Buchstaben sind in Form und Proportion falsch.

6 Neben der schlechten, frei geschriebenen Schrift (oben links und rechts) ist hier die gesamte Ladenfront sehr zweifelhaft gestaltet.

1 Typisches Hinweisschild im »Lüftl-Touch«, aber mit völlig falsch geschriebener Type.
2 + 3 Schriftergebnisse vom gleichen Schreiber. Beide Beispiele sprechen für sich. Ganz besonders das Bild 3 zeigt neben den schlechten Schrift-typen und der Schreibweise eine unmögliche Einbindung zwischen den beiden Fenstern.

1+2 Beide Beispiele zeigen deutlich, daß der Schöpfer der Schrift nicht die geringste Ahnung hat – es kann aber auch nicht festgestellt werden, daß eine originelle naive Schriftarbeit entstanden wäre.
3 Im Hinblick auf die Einbindung in den Raum und die Richtigkeit der Einzelformen sind hier viele Fehler zu beanstanden.

Die Abbildungen von S. 118 bis S. 127 stellen schlechte Beispiele dar, die frei geschrieben oder auf dieser Grundlage entwickelt sind.
Zu den schlechten Beispielen ist jeweils ein Verbesserungsvorschlag skizziert.
Charakteristisch für derartig schlechte Lösungen ist, daß sie meistens mehrere Fehlerquellen in sich vereinen.
Dazu gehören: a) schlechtes Gesamtbild durch Überladung mit verschiedenen Schrifttypen und -größen, b) mangelndes Gefühl für gute Raumaufteilung, c) schlechte Schrifttypen, d) ungenügende technische Durchführung, e) falsch geschriebene Einzelbuchstaben.
Alle Skizzenvorschläge zeigen klarere Proportionen und eine bessere Verteilung der Schrift in der gegebenen Fläche.

118

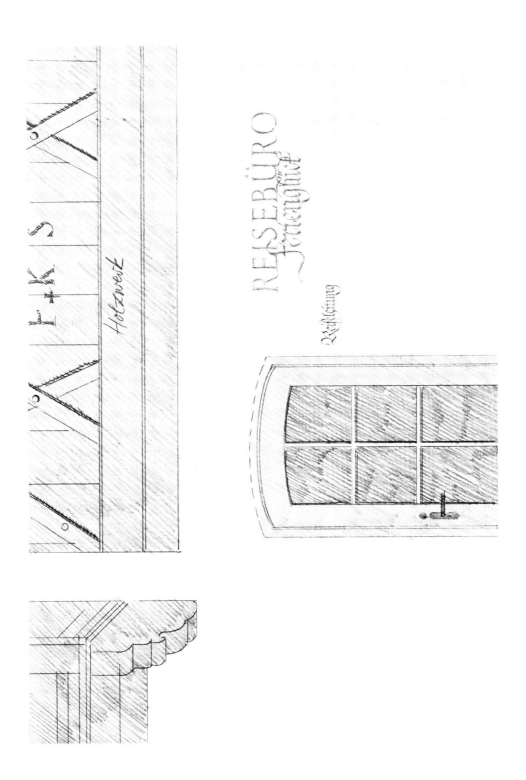

Alle drei hier abgebildeten Beispiele stellen frei geschriebene Sprüche an Innen- und Außenwänden dar.
Auch hier wird dem interessierten Betrachter im Vergleich zu guten Beispielen sicher schnell klar, warum diese Arbeiten bei der Serie der schlechten Beispiele mit eingegliedert sind.

1 Ein unmöglicher Versuch, mit dem Pinsel einen den Spruch zusammenfassenden und abschließenden Schreibmeisterzug zu machen.
2 Die Buchstaben sind zum Teil völlig falsch, die Type für eine Gotik zu »Geschwänzt«.
Es soll eine Gotik geschrieben werden, die so tut wie eine Fraktur. Dies machen nur Schreiber, die die beiden Schriften nicht genügend kennen.
3 Es genügt nicht, einen Pinsel zu nehmen und mit ihm so zu schreiben wie mit dem Kugelschreiber.

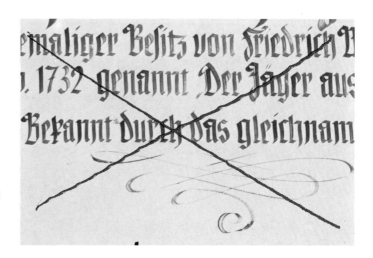

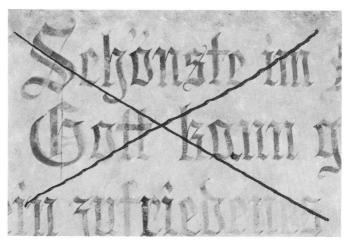

geschlecht Frankens dessen nam

n Bache Bibra im Meiningens

e und in geschichtlicher Zeit stets

at. In einer Urkunde Bischofs

9 wird Hupertus de Bibra als

v. B. und dessen Söhne Bertho

1151 genannt. Ein anderer Deger

er Handlung des Bischofs Her

diesem Bistum bekleidete die Fam

t. Ritter Hermann wurde 1357

fulda auf Schloß Salzungen.

e den Wilhelm v. B. den er zum G

hatte 1486 u. 1490 als Gesandten

1490 und wurde zu Verona in de

aben. Sein Sohn errichtete ein Den

den ist. Lorenz v. B. war 1054 15

Diese hier gebotene Jämmer-
lichkeit sollte sich eigentlich kein
Ortsbild leisten dürfen. Es geht
hier um Schilder, die öffentliche
Bauten von meist historischer
Wichtigkeit kennzeichnen.
Diese Aufgabe wird im
allgemeinen befriedigend gelöst.

1+2 Unmögliche Schildart und
Einbindung in die Architektur.
3 Die frei geschriebene Antiqua
ist so schlecht, daß es jedem,
der dieses Büchlein interessiert
durchgesehen hat, sofort klar
sein wird, was hier falsch ist.

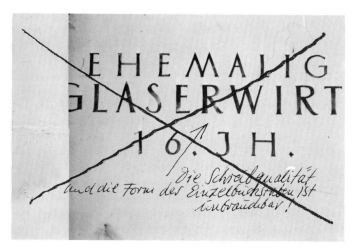

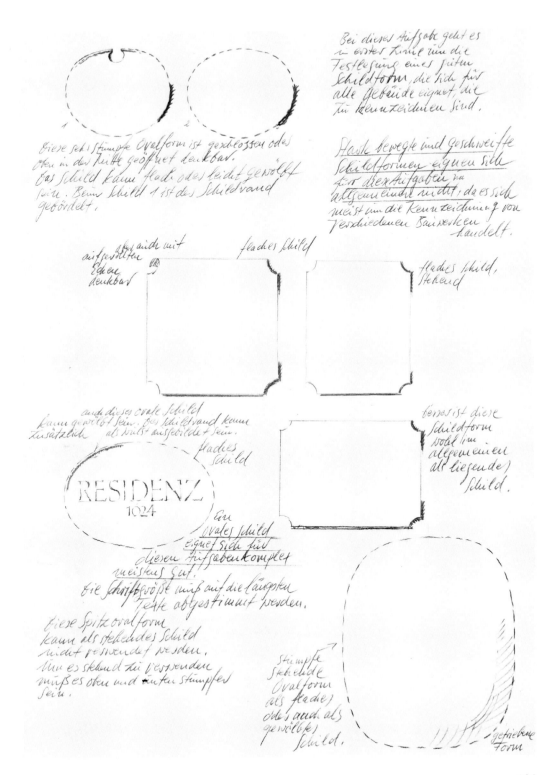

Bei dieser Aufgabe geht es in erster Linie um die Festlegung einer guten Schildform, die sich für alle Gebäude eignet, die zu kennzeichnen sind.

Diese sehr stumpfe Ovalform ist geschlossen oder oben in der Mitte geöffnet denkbar.
Das Schild kann flach oder leicht gewölbt sein. Beim Schild 1 ist der Schildrand gebördelt.

Stark bewegte und geschweifte Schildformen eignen sich für diese Aufgaben im allgemeinen nicht, da es sich meist um die Kennzeichnung von verschiedenen Bauwerken handelt.

aber auch mit aufgewölbten Ecken denkbar

flaches Schild

flaches Schild, stehend

auch dieses ovale Schild kann gewölbt sein. Der Schildrand kann zusätzlich als Wulst ausgebildet sein.

flaches Schild

bewertet ist diese Schildform wohl im allgemeinen als liegendes Schild.

RESIDENZ
1024

Ein ovales Schild eignet sich für diesen Aufgabenkomplex meistens gut.
Die Schriftgröße muß auf die längsten Texte abgestimmt werden.

Diese Spitzovalform kann als stehendes Schild nicht verwendet werden.
Um es stehend zu verwenden muß es oben und unten stumpfer sein.

stumpfe stehende Ovalform als flaches oder auch als gewölbtes Schild.

getriebene Form

Diese Art von Beschaffung sieht
man in ländlichen Gegenden sehr häufig.

Man sollte wenigstens verhindern, daß zwei Schilder angebracht werden müssen, sie doch gleich zu machen. Besser ist es sie, zu lassen.

an einer Fassade
sind zu viele rund.
Schriftschilder
angebracht.

Die auf dieser und den folgenden Seiten gezeigten Beispiele machen vor allem deutlich, daß es keine Selbstverständlichkeit ist, gut eingebundene, im Sinne der »Stadtbildpflege« richtige Kennzeichnungsschilder für historische Bauten zu schaffen. Einfühlungsvermögen und Kenntnis der Baustile sind notwendig, um hier einigermaßen gültige Lösungen zu schaffen.

Es ist bei diesen Aufgaben zu empfehlen, immer Pappeschilder als 1:1 Modelle (in verschiedenen Größen und der jeweils gedachten Farbe) anzufertigen und sich an der Wand zu überzeugen, welche Form, Größe und Farbe die richtige ist.

1–3 In dieser Bildfolge soll gezeigt werden, daß zu viele verschiedene Beschriftungsarten die Arbeit nicht besser machen.

Bild 1 zeigt, wie dürftig die Einbindung des Schildes in den gegebenen Raum ist.

zu Seite 126

Das Schild in seiner ganzen Anlage ist so unbrauchbar. Gerade in der ansonsten ambitionierten, im »LüftlTouch« gemalten Fassade. Doch auch im Detail ist die Fassade nicht gut genug gemalt. An einer ansonsten ganz naiv gemalten Fassade könnte sich der Autor das Schildchen wohl vorstellen.

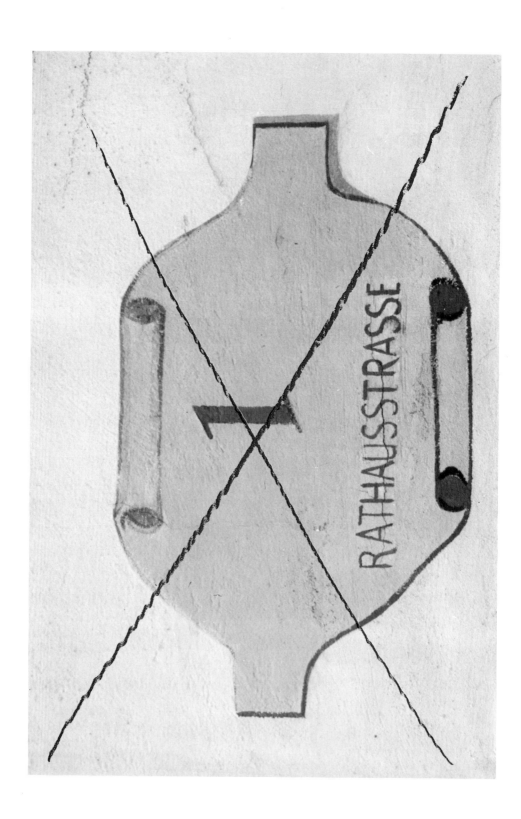

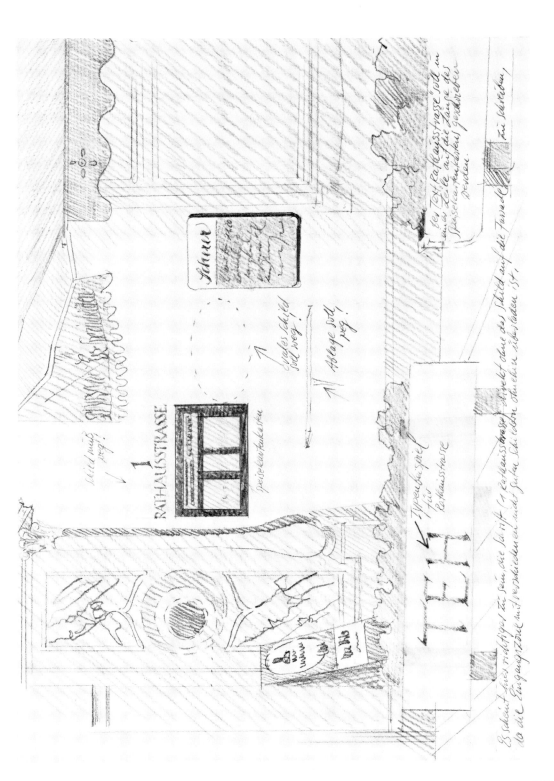